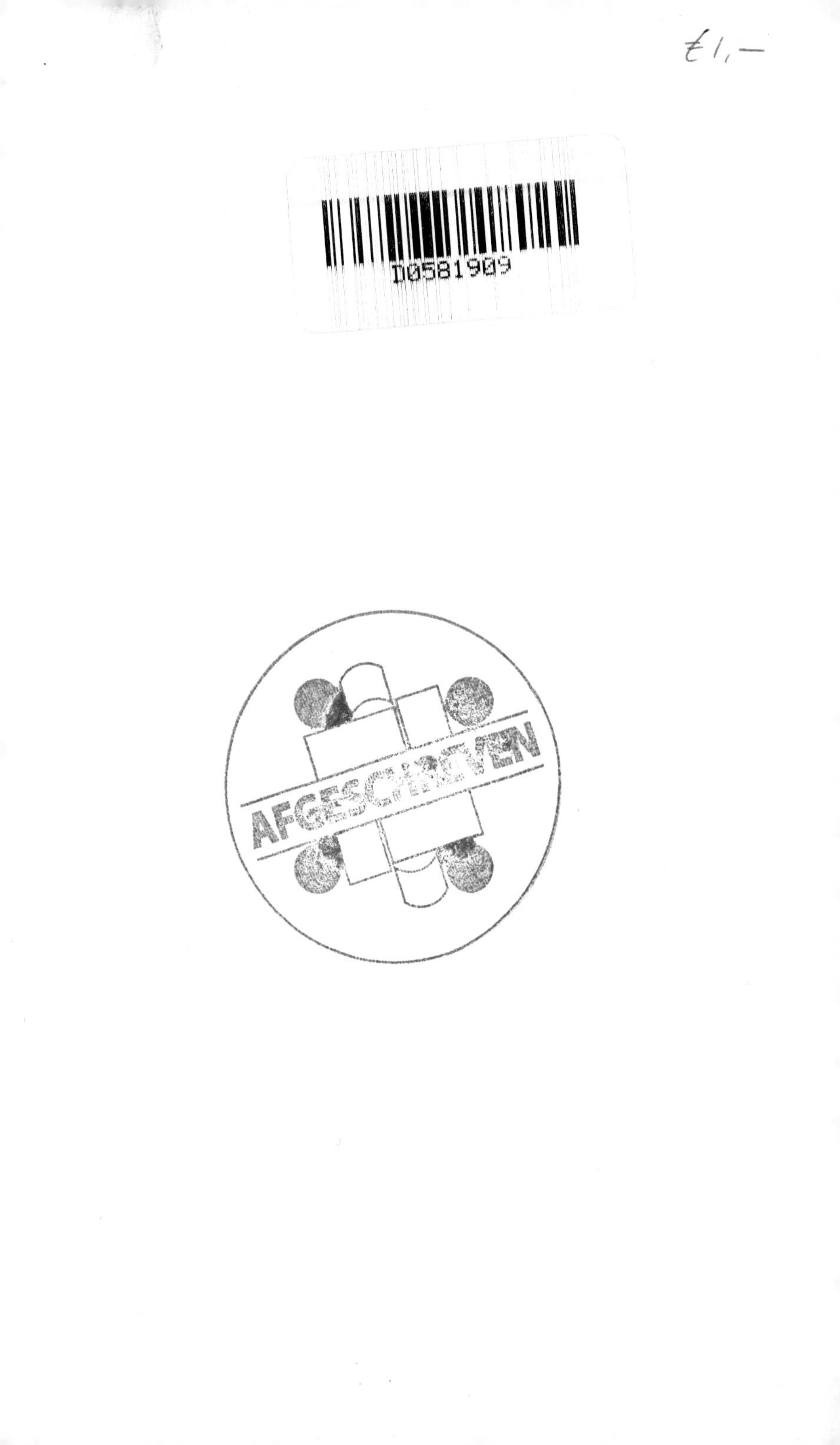
€1,-
D0581909
AFGESCHREVEN

Vechten in toga

Vechten in toga

Mr. Raymond de Mooij

Boom Juridische uitgevers
Den Haag
2009

Omslagontwerp: Haagsblauw, Den Haag
Opmaak binnenwerk: Textcetera, Den Haag

ISBN 978-90-8974-199-8
NUR 820

www.bju.nl

Inhoud

Voorwoord

Sinds vijf jaar verschijnt in het Haagse katern van het Algemeen Dagblad iedere twee weken een column van de hand van Raymond de Mooij, advocaat te Den Haag. Na een eerste bundeling ('Voor de rechter') is dan nu de tweede verzameling van deze verhalen verschenen, onder de toepasselijke titel 'Vechten in toga'. Ook dit keer gaat het om zaken uit zijn civiele praktijk.

Hoe verschillend die verhalen ook mogen zijn, één ding hebben ze allemaal gemeen: je leest ze met een glimlach, soms zelfs gevolgd door een schaterbui. De filmregisseur Petr Zelenka zei ooit in een interview dat film een variant op de bizarre werkelijkheid is. De Mooij beschrijft ons die realiteit in al zijn grilligheid. Hij doet dat niet alleen – vanzelfsprekend – met juridische kennis van zaken, maar ook met een vlotte en hier en daar scherpe pen, zoals een columnist betaamt.

Beeldend en met veel oog voor detail laat De Mooij ons kennismaken met de uiteenlopende personages die hij juridisch bijstaat in het gevecht om hun gelijk te krijgen, evenals de bij tijd en wijle absurde situaties waarin zij, al dan niet door hun eigen toedoen, terecht zijn gekomen. Ik acht De Mooij een bevoorrecht man. Hij maakt immers bij de uitoefening van zijn beroep de gekste dingen mee. Toch denk ik dat dit voor menig ander mens ook opgaat. Het komt er slechts op aan de humor ergens van in te zien en die vervolgens te verwoorden. De Mooij is die gave gegund.

Jozias van Aartsen,
burgemeester van Den Haag

In natura

Cliënt Van Berkel, handelaar in onroerend goed, had een vijftal panden in het centrum van Den Haag gekocht van de heer Galjé. De huizen waren opgesplitst in luxe appartementen, die maandelijks elk € 1500 huur opbrachten.

Drie maanden na de aanschaf moest Van Berkel constateren dat huurder mevrouw Blauw haar huur niet betaalde. Er was een huurachterstand van € 4500 ontstaan. Aanmaningsbrieven van Van Berkel aan het adres van mevrouw Blauw hadden niet het gewenste effect: de huurschuld werd niet ingelost.

Van Berkel meldde zich met dit probleem op mijn kantoor en verzocht mij juridische actie te ondernemen. Ik vervaardigde een dagvaarding en verzocht de kantonrechter om mevrouw Blauw tot ontruiming van haar woning te veroordelen.

De kantonrechter bepaalde een mondelinge behandeling. Van Berkel en mevrouw Blauw werden opgeroepen om te verschijnen in het Paleis van Justitie aan de Prins Clauslaan. Samen met Van Berkel ging ik naar de zitting. Even voordat de bode de zaak op de gang afriep, verscheen mevrouw Blauw. Ik schatte haar een jaar of 45, verzorgd, keurig gekleed in een geruite rok, lamswollen sweater en blauwe jas. Zij droeg een opvallende parelketting over haar trui.

'Vertelt u eens, mevrouw Blauw, waarom hebt u uw huur de afgelopen drie maanden niet betaald?', vroeg de kantonrechter nadat hij de zitting had geopend.

'Mejuffrouw Blauw, edelachtbare, niet mevrouw', antwoordde mejuffrouw Blauw deftig. 'Ik heb niet betaald, omdat de verhuurder zich niet bij mij gemeld heeft.'

Enigszins verbaasd keek de kantonrechter haar aan. 'Huur is een brengschuld, mejuffrouw, ik neem aan dat u uw huur in het verleden gewoon per bank hebt overgemaakt, zoals in het huurcontract is bepaald. U kunt van de heer Van Berkel toch niet verwachten dat hij elke maand persoonlijk bij al zijn huurders de huurpenningen komt innen.'

Mejuffrouw Blauw schuifelde wat nerveus met haar voeten en zei: 'Mijn vorige huisbaas, meneer Galjé, kwam mij elke week iets brengen. Ik ontving hem steeds ... eh... met open armen en daarmee was de huur betaald.' De griffier hield met moeite haar gezicht in de plooi en ook de kantonrechter was enigszins uit het veld geslagen.

'Hoor ik u zeggen dat u uw huur in het verleden in natura voldeed omdat u onvoldoende financiële middelen had, mejuffrouw Blauw?'

'Dat is juist, edelachtbare, en zo wil ik het in de toekomst graag houden', antwoordde mejuffrouw Blauw.

In het geval van een huurovereenkomst behoeft de door de huurder geleverde tegenprestatie niet per se uit geld te bestaan. De kantonrechter wendde zich dan ook tot mijn cliënt Van Berkel en vroeg geamuseerd: 'Mijnheer Van Berkel, bent u bereid om de door mejuffrouw Blauw genoemde betalingsmethode in de toekomst te accepteren?'

Van Berkel dacht even na en keek eerst naar mejuffrouw Blauw en toen naar mij. In deze gevoelige zaak kon ik hem echter moeilijk adviseren.

'Ik ben bang dat ik dan mijn andere tweehonderd huurders op een idee zal brengen', antwoordde hij uiteindelijk diplomatiek, 'en dat wordt mij te zwaar. Ik heb maar een eenmanszaak.'

Namens Van Berkel betoogde ik hierna dat in redelijkheid niet van hem verwacht kon worden dat hij genoegen nam met de door mejuffrouw Blauw voorgestelde en voor haar gebruikelijke manier van betalen, zeker ook omdat die afweek van hetgeen daaromtrent in de huurovereenkomst was opgenomen.

De kantonrechter kwam in zijn vonnis twee weken later op die gronden tot de conclusie dat mejuffrouw Blauw haar woning diende te ontruimen, en wel binnen twee weken nadat het vonnis door de deurwaarder aan haar zou zijn uitgereikt.

Een paar maanden later zag ik mejuffrouw Blauw in de stad. Zij zat een kopje koffie te drinken bij Corona. ‘Dag mejuffrouw Blauw’, zei ik, ‘hebt u inmiddels een nieuw onderkomen gevonden?’

‘Twee keer zo groot als het vorige, mr. De Mooij. En tegen exact dezelfde huurprijs’, antwoordde zij zonder een spier te vertrekken.

Moord en doodslag

Danny Pleysier werd met vier kogels in het hoofd gedood op een parkeerplaats in Den Haag. Onderzoek wees uit dat de schoten van dichtbij waren afgevuurd. Veel verder kwam de politie niet. De dader van de aanslag werd nooit gevonden. De moeder van Danny, Erica Pleysier, kon de dood van haar enige kind niet verwerken. Na een periode van wanhoop en intens verdriet raakte zij in een depressie en zonderde zich af. Zo kon het gebeuren dat Erica Pleysier een door de deurwaarder in de brievenbus gegooide dagvaarding ongelezen liet. Zij was door haar huisbaas in een gerechtelijke procedure betrokken in verband met een huurschuld van € 800. Er volgde een verstekvonnis; mevrouw Pleysier moest haar woning ontruimen. Dat bericht bereikte haar wel. Voor het eerst sinds de dood van haar zoon ondernam mevrouw Pleysier actie: zij zocht contact met Marcus Rekel, een bevriende vastgoedondernemer. Hij verwees haar naar mij.

'Mr. De Mooij, het is uiteindelijk allemaal de schuld van mijn ex-man Tony', vertelde zij mij op een warme zomermiddag. 'Hij heeft Danny betrokken bij allerlei duistere deals. Ik weet zeker dat zijn dood daarmee te maken heeft. Op een dag heb ik Tony verteld wat ik dacht. Hij is helemaal gek geworden. Elke dag belt hij me en scheldt mij uit. Twee keer heeft-ie mij al in elkaar geslagen. De politie heeft ervoor gezorgd dat Tony wordt onderzocht door een psychiater. Dat is maar goed ook, ik ben doodsbang voor hem.'

De huurschuld was ontstaan doordat mevrouw Pleysier de jaarlijkse huurverhogingen over het hoofd had gezien. Zij had namelijk anderhalf jaar lang haar post niet geopend. De reguliere huurbetalingen waren iedere maand automatisch afgeboekt, maar de huurverhogingen waren niet betaald. Namens mevrouw Pleysier liet ik een verzetdagvaarding uitbrengen. De kantonrechter in Den Haag ontving partijen in een klein zaaltje van het Paleis van Justitie. In tranen vertelde mevrouw Pleysier haar verhaal. 'Er gaat geen uur voorbij of ik denk aan Danny. Hoe hij daar lag in die kist. Zestien jaar was hij nog maar. En dan moet ik ook nog leven met de angst dat mijn ex-man mij ieder moment kan aftuigen. Kunt u zich voorstellen dat ik mij niet heb beziggehouden met huurverhogingen?' De kantonrechter toonde begrip. Een paar weken later wees hij vonnis. Indien Erica Pleysier alsnog de huurschuld vermeerderd met kosten zou voldoen, behoefde zij haar woning niet te ontruimen.

Aangezien ik mevrouw Pleysier telefonisch niet kon bereiken, stelde ik haar schriftelijk op de hoogte van het gunstige vonnis. Een reactie bleef echter uit. Tijdens een middagpauze reed ik naar haar woonadres. Ik belde meerdere malen aan, maar er werd niet opengedaan. Een nieuwsgierige buurman kwam naar buiten. Hij had het niet zo op mannen met stropdassen. 'Wat moet je?', vroeg hij geïrriteerd. Ik vertelde hem dat ik een goed bericht had voor mevrouw Pleysier, zij mocht in haar huis blijven wonen. 'Daar zal ze blij mee zijn', reageerde de buurman, 'lees jij geen kranten, bolleboos?' Luidruchtig snoot de man zijn neus. 'Erica is drie weken geleden in haar eigen huis afgeslacht. Haar ex-man Tony heeft haar zeventig keer met een schroevendraaier gestoken. Het bloed zat tegen het plafond. Erica is nu bij haar zoontje. Een rotjongen trouwens, maar dat is mijn persoonlijke mening.' Verbijsterd keek ik de buurman aan. 'En weet je wat het mooie is', vervolgde deze onverstoorbaar zijn verhaal, 'een week geleden was de psychiater klaar met zijn onderzoek naar Tony. Ik heb het hele verhaal gehoord van de wijkagent. "Verminderd toerekeningsvatbaar" was het oordeel van die pillendraaier. Wat een genie hè, zo'n man. En lekker op tijd ook met z'n bericht. Net als jij. Dus Erica mag in haar huis blijven wonen? Goed nieuws, pik! De vlag gaat uit, reken daar maar op.'

Een onwillig meisje

De eigenaar van een bordeel ziet er niet altijd uit als de eigenaar van een bordeel. Mijn cliënt Bart Vollebregt exploiteert een van de grotere seksclubs in Den Haag, Club Pourvous. Bart gaat doorgaans gekleed in driedelig grijs, heeft een VVD-kapsel, woont in het Benoordenhout en rijdt in een Volvo stationcar. Zijn kinderen gaan op het chique Wolters naar school. Bart presenteert zich graag als een nette ondernemer en dat is hij ook. Maar dan wel in een specifieke branche.

Alhoewel ik al jaren de juridische belangen van Bart Vollebregt behartig, schept hij er kennelijk genoegen in om mij nog steeds uiterst formeel te benaderen. Verder doet Bart verwoede pogingen om algemeen beschaafd Nederlands te spreken. In 1994 belde hij mij op. 'Mr. De Mooij, ik zit met een juridische omissie, ik heb juffrouw Patricia vorige week op staande voet ontslagen. Ik prefereer om per onmiddellijk langs te komen.'

Een uur later vertelde Vollebregt zijn verhaal. Patricia Peru werkte sinds drie jaar als animeermeisje in de club van Vollebregt. De afgelopen weken had Patricia een aantal malen geweigerd om aan de wensen van een klant te voldoen. 'Zij is niet bereid om onze clientèle vleselijk te behagen, dat is het probleem mr. De Mooij', vatte Vollebregt de casus kort samen. Klanten beklaagden zich bij Vollebregt over het onwillige meisje. Toen waarschuwingen niet het gewenste effect sorteerden, had Vollebregt Patricia op staande voet ontslagen wegens werkweigering.

Een dag later ontving Vollebregt een brief van de advocaat van Patricia, mr. Beuk. Het ontslag op staande voet zou nietig zijn; van werkweigering was geen sprake. De raadsman van Patricia kondigde een gerechtelijke procedure bij de kantonrechter aan.

Nog diezelfde week viel een dagvaarding op de deurmat van Club Pourvous. Die dagvaarding overhandigde Vollebregt mij tijdens onze bespreking. 'Wij moeten bewijzen dat Patricia Peru geen hand- en spandiensten wilde verlenen, denk je dat jouw klanten bereid zijn om te getuigen?', vroeg ik Vollebregt. Die kans achtte Vollebregt bepaald klein. 'Mr. De Mooij, u moet begrijpen, die heren waren op de bewuste avond niet in Club Pourvous. Zij brachten een bezoek aan hun nichtje.' Gelukkig was een aantal andere werknemers van Vollebregt bereid om het verhaal van Vollebregt door middel van schriftelijke verklaringen te bevestigen.

Kantonrechter mr. Ellebeek, inmiddels al jaren gepensioneerd, behandelde de zaak. Mr. Ellebeek is een man met een wat verwilderd uiterlijk. Hij hield van praktische oplossingen en was berucht om zijn botte, maar geestige optreden. Bovenal stond mr. Ellebeek bekend als een goede rechter. Sommige advocaten vonden de kantonrechter een beetje vreemd, maar ik verheugde mij altijd op zijn zittingen.

Mr. Ellebeek bepaalde, nadat hij de stukken van de advocaten gelezen had, een comparitie. Partijen moesten verschijnen in het Paleis van Justitie.

Patricia Peru was voor de gelegenheid gekleed in een keurig mantelpakje. Zij had haar lange donkere haar opgestoken. Een opvallend knappe vrouw. Samen met haar raadsman mr. Beuk liep zij de zittingszaal binnen. Bart Vollebregt en ik volgden, waarna mr. Ellebeek de zitting opende.

De kantonrechter wreef vergenoegd in zijn handen en wendde zich meteen tot mevrouw Peru. 'Ik zie maar één vrouw in de zaal, dus u moet de prostituee zijn! Maar u hebt geen zin meer in gerampetamp, hè? Althans dat zegt de heer Vollebregt. Klopt dat?'

Mr. Beuk wilde protesteren, maar die gelegenheid kreeg hij niet van mr. Ellebeek. 'Ik stel mijn vraag direct aan mevrouw Peru, mr. Beuk. Maakt u zich geen zorgen, uw cliënte kan haar eigen boontjes wel doppen.'

Enigszins gegeneerd nam Patricia Peru het woord. Het klopte wel dat zij het werk in de seksclub niet goed meer aankon. 'U zou eens moeten weten wat ik allemaal meemaak, edelachtbare, ze willen de gekste dingen. En veel van die kerels zijn dronken en stinken. Er zijn ook wel aardige klanten hoor, die wil ik best bedienen. Maar die viezerikken, daar heb ik geen trek meer in. Na zoveel dienstjaren is dat toch niet te veel gevraagd?'

'In uw professie kunt u niet te kieskeurig zijn, mevrouw Peru', gaf mr. Ellebeek zijn mening. 'En als u van rust, regelmaat en reinheid houdt, stel ik voor dat u bij een ministerie solliciteert, dat heb ik ook gedaan. Nee, ik kan mij wel voorstellen dat de heer Vollebregt u heeft ontslagen. Wat zijn momenteel uw kansen op de arbeidsmarkt?'

'Die zijn goed. Volgende maand rond ik mijn studie af, ik studeer rechten in Utrecht', antwoordde Patricia Peru. Mr. Ellebeek brulde het uit. 'Als ik het niet dacht. Een heuse juriste! Wilt u geen advocaat worden? Is ook een dienstverlenend beroep!'

Patricia Peru glimlachte minzaam. 'Een prima idee, meneer de rechter. Ik heb goede contacten in de advocatuur.'

Haagse avonturen met familie Van der Tak

Aannemersbedrijf Van der Tak is al vijftien jaar vaste klant van ons kantoor. Aanvankelijk was de heer Van der Tak senior mijn gespreks-partner. Maar halverwege de jaren negentig ging 'de ouwe Tak' met pensioen. Zijn zoon Barry, een reus van een kerel, nam de leiding over. De gehele familie Van der Tak was werkzaam in het aannemers-bedrijf. Vier broers van Barry leidden afzonderlijke divisies van de onderneming. En diverse neefjes waren in dienst als stukadoor, timmerman of elektricien. Vrijwel wekelijks had ik een van de Van der Takjes aan de lijn of over de vloer. Dat was altijd een feest voor oog en oor. Het plat Haagse dialect was ongeëvenaard. Bakkebaarden, oorringen, tattoos, gouden schakelkettingen en armbanden: familie Van der Tak had ze in de aanbieding.

Alhoewel Barry van der Tak een luidruchtige, joviale man was, zat hij er een half jaar geleden timide bij in mijn spreekkamer. 'Ik heb bonje met Guus en Bertus Kokkel, en dat is slecht nieuws', vertelde hij. De gebroeders Kokkel exploiteerden een tweetal discotheken in de Haagse regio. 'Bertus Kokkel heb me gevraagd discotheek De Ooievaar uit te bouwe. We hebben puik werk afgeleverd, maar Bertus ziet het anders. Er klop geen ene tering van, zegt-ie tegen mên.'

Barry van der Tak overhandigde mij een brief van de advocaat van de gebroeders Kokkel. Er zou te laat door Van der Tak zijn opgeleverd. Verder zou de dakbedekking niet beantwoorden aan hetgeen door partijen was overeengekomen. En Van der Tak zou ten onrechte € 40.000 aan meerwerk in rekening hebben gebracht. Om die redenen werden diverse declaraties van mijn cliënt niet voldaan.

'Bertus Kokkel is geen makkelijke jongen, maar betalen gaat-ie. Al mot ik het bij de poorten van de hel weghale', vatte Barry van der Tak zijn standpunt samen. Ik wist mijn cliënt ervan te overtuigen in dit conflict de juridische weg te bewandelen. Op grond van het contract dat door partijen was ondertekend, betekende dat een procedure bij de Raad van Arbitrage. De zitting vond eind december 2006 plaats in een zaaltje van een Haags hotel. De voorzitter van de Raad van Arbitrage gaf de advocaten de gelegenheid om de standpunten van hun cliënten nader toe te lichten. In reactie op de aantijgingen van de gebroeders Kokkel vertelde ik dat het doorberekende meerwerk tussen partijen was overeengekomen. Personeelsleden van Van der Tak waren getuige geweest van de door Bertus Kokkel verstrekte aanvullende opdrachten. Dit meerwerk was ook de oorzaak van de opgetreden vertraging. En met de door firma Van der Tak aangebrachte dakbedekking was niets mis. Kokkel moest maar bewijzen dat het anders was.

De leden van de Raad van Arbitrage besloten zelf poolshoogte te nemen en een bezoek te brengen aan discotheek De Ooievaar. Het hele gezelschap reisde af naar de dansgelegenheid. 'Kijk dan mijne heren, hoe dat dak loop te lekke!', riep Bertus Kokkel verontwaardigd, terwijl hij op een plasje water in een hoek wees. De blikken van de aanwezigen verplaatsten zich naar het plafond. Dat was droog.

Drie weken later volgde de schriftelijke uitspraak. Goed gemotiveerd oordeelde de Raad van Arbitrage dat aannemersbedrijf Van der Tak geen verwijt te maken viel en de gebroeders Kokkel de openstaande facturen moesten voldoen. Reden voor een feestje voor de voltallige familie Van der Tak. Bij het etentje in een Indonesisch restaurant nabij de Leyweg mocht hun advocaat natuurlijk niet ontbreken. In feesttenue en voorzien van sieraden en attributen schoven de Van der Takjes aan. De uitstekende rijsttafel werd weggespoeld met liters bier. Steeds moeilijker was het dialect van mijn cliënten te volgen. Mijn tafeldame was grootmoeder Van der Tak. Na vier borden rijst en een dozijn biertjes werd zij onwel en besloot een luchtje te scheppen. Twee meter voor de glazen ingang kotste zij, gadegeslagen door alle bezoekers van het restaurant, een Indonesische maaltijd op de stoep. Haar familie leek niet onder de indruk. Toen oma Van der Tak haar rentree maakte, kreeg zij alleen aandacht van kleinzoon Rinus. 'Zo, heb je lekkâh lope spuge, lama?'

Moord en brand in een café

De rapportage van de schade-expert was in het voordeel van mijn cliënten. De kroeg die zij exploiteerden was door een recente brand weliswaar zwaar beschadigd, maar in de ogen van de expert was er niet sprake van 'een gebrek dat het genot van het gehuurde onmogelijk maakt'. Tevreden pakte ik de telefoon en belde mijn cliënten, de heren Piquet en Vlek. 'Met Muis', klonk het aan de andere kant van de lijn. Ik vertelde het goede nieuws. 'Dus dat betekent dat de huurovereenkomst gewoon doorloopt en de huisbaas ons café moet opknappen?', vroeg Muis Piquet met een vrouwenstemmetje. 'Ik ga het meteen aan Ollie vertellen.'

Twee maanden eerder hadden Muis Piquet en Ollie Vlek plaatsgenomen in de bespreekkamer van mijn kantoor. Het was een opvallend stel. De heren droegen identieke bruine bontjassen. Ollie Vlek had met zwarte eyeliner zijn ogen opgemaakt en zijn dikke wangen bepoederd. Muis Piquet was bleek en mager, hij droeg een parelketting op een witkanten bloesje.

'Zoals u misschien weet – of niet natuurlijk', giechelde Piquet zenuwachtig, 'runnen wij al jaren een homobar in de stad met de naam 'De Achterkant'. Iedereen is bij ons binnen geweest. Van Jos Brink tot Boy George. Er komen zelfs ministers en mensen van de televisie over de vloer.'

Maar een schietincident had roet in het eten gegooid. Tijdens een ruzie in café De Achterkant was een bezoeker doodgeschoten. Muis Piquet: 'Die knul die begon te schieten had ik nooit eerder gezien. Ik ben zo boos op hem geworden. "Eruit!", heb ik tegen hem geroepen. "Jij mag hier nooit meer komen!"' Kort na de schietpartij sloeg het noodlot opnieuw toe. Op een vroege zondagmorgen was brand in De Achterkant ontstaan, een deel van de benedenverdieping was door vlammen verwoest. Ollie Vlek veegde een traan van zijn wang.

'Onze verzekeringsmaatschappij dacht eerst dat wij de brand zelf hadden aangestoken, moet je voorstellen! Hadden we dat gehad, komt onze verhuurder.' De heer Vlek overhandigde mij een brief.

Verhuurder AKOZ deelde mede dat zij de huurovereenkomst ontbond, nu in haar ogen verdere huur van de horecaruimte als gevolg van de brand onmogelijk was geworden. Verwezen werd naar een bepaling in het Burgerlijk Wetboek.

Op verzoek van de heren Piquet en Vlek betrok ik verhuurder AKOZ in een gerechtelijke procedure bij de kantonrechter in Den Haag. Namens de heren vorderde ik 'een verklaring voor recht' dat de huurovereenkomst tussen partijen nog in stand was. Herstel van de bedrijfsruimte behoorde immers nog wel degelijk tot de mogelijkheden.

De advocaat van AKOZ verweerde zich namens haar cliënte in een uitvoerige conclusie van antwoord, waarna de kantonrechter een mondelinge behandeling bepaalde. De zitting vond plaats op een van de weinige koude dagen van het vorige jaar. Het vroor en er waaide een gure wind. Mijn excentrieke cliënten kwamen in een Bentley voorrijden.

Nadat de kantonrechter de pleidooien van de advocaten had aangehoord, vroeg hij mijn cliënten om commentaar. Als een volleerd acteur stond Muis Piquet op, zwaaide zijn zijden sjaal naar achter en nam het woord. 'Edelachtbare, het is heel oneerlijk wat hier gebeurt! De Achterkant is nog heel goed op te knappen, maar AKOZ wil ons niet meer als huurder in verband met die schietpartij. Ollie en ik kunnen er gewoon niet van slapen. U moet ons helpen, hoor!'

De kantonrechter nam meteen een beslissing. 'Ik zal een deskundige benoemen, die moet uitsluitsel geven over de huidige staat van uw café. Indien de deskundige oordeelt dat verhuur nog mogelijk is, zal ik de vorderingen van de eisende partij toewijzen.'

Tevreden verlieten mijn cliënten het Paleis van Justitie. Buiten was het gaan sneeuwen. 'Rijdt u gezellig met ons mee', vroeg Muis, 'dan nemen we thuis een afzakkertje.' Dat aanbod sloeg ik vriendelijk af. Ik moest de andere kant op.

Spoken in een eetcafé

Herman Kordaat en zijn vrouw Mia exploiteerden de kroeg annex eetcafé ''t Konijntje' in de binnenstad van Den Haag. Zij hadden anderhalf jaar geleden de slechtlopende horecagelegenheid overgenomen en er een goed renderende onderneming van gemaakt. De boomlange Herman – sportschooltype met armen als boomstammen – vatte de succesformule kort samen. 'We hebben de winkel wat opgefrist. Alles wat bruin was hebben we wit gemaakt, de kaart aangepast en de prijzen bijgesteld. Een kind kan de was doen.'

Maar net toen met de eerste omzetten de schulden waren afbetaald, rees er een onverwacht probleem. Mia Kordaat zat naast haar man in de bespreekkamer van mijn kantoor. Haar magere, ingevallen gezicht en afgetrainde figuur verraadden haar passie voor duursporten. 'Van een vaste klant van onze zaak hoorden wij dat volgende maand een artikel over 't Konijntje wordt geplaatst in roddelblad "Sunny". Twee jaar geleden zou een journalist van dat blad een onderzoek hebben gedaan naar onze zaak. Het zou er spoken. En er zou ontdekt zijn dat een groot aantal van de vaste klanten destijds getroffen is door een hartaanval. Volgens de redactie van Sunny door toedoen van kwade geesten.'

Begrijpelijkerwijs waren mijn sportieve cliënten niet erg enthousiast over de op handen zijnde publicatie. Herman Kordaat: 'Hebben we de zaak net uit het slop getrokken, horen onze klanten dat je hart ontploft als je bij 't Konijntje spareribs komt eten. Lijkt me niet echt de bedoeling.'

De huisbaas van de familie Kordaat was een klant van mij. Toen hij het verhaal van zijn huurders hoorde, had hij Herman en Mia naar mij verwezen. Op verzoek van mijn cliënten sommeerde ik weekblad Sunny af te zien van verspreiding van het gewraakte artikel. 't Konijntje werd niet geteisterd door spoken of kwade geesten, laat staan dat er recentelijk klanten hartproblemen hadden gekregen. Het verspreiden van dergelijke onjuiste berichten zou cliënten schade berokkenen. In reactie kreeg ik een telefoontje van een redacteur van Sunny. 'Wij hebben met belangstelling kennisgenomen van uw sommatie. Maar er zal geen gevolg aan worden gegeven. Het verhaal wordt gewoon afgedrukt.'

De behandeling in kort geding volgde een week later. Sunny liet zich vertegenwoordigen door mr. Zijweg. Die betoogde namens zijn cliënte dat diepgaand onderzoek had uitgewezen dat zich in 't Konijntje kwade geesten bevonden. 'Edelachtbare, meerdere malen is vastgesteld dat schilderijen in het café uit zichzelf bewogen, glazen zich verplaatsten en de stereo-installatie plotseling aan- of uitging. Zonder dat er iemand in de buurt was! In het jaar 2004 zijn maar liefst zeven vaste klanten van 't Konijntje getroffen door een hartaanval. Kort en wel: er is overduidelijk iets niet pluis in 't Konijntje!'

Namens de familie Kordaat onderstreepte ik dat Sunny geen enkel bewijs van haar standpunten had geleverd. Waar waren de foto's van de spoken, opnamen van bewegende schilderijen en de verklaringen van klanten of hun nabestaanden? 'Sedert de overname hebben zich in de kroeg van cliënten in ieder geval geen incidenten voorgedaan', betoogde ik. 'Geen sterfgevallen, geen zwevend bestek en geen zingende bierflesjes. Het sensatieverhaal is door Sunny uit de duim gezogen en heeft een hoog Jomanda-gehalte. Bij verspreiding van dit verhaal zullen cliënten schade lijden. Want zelfs al klopt het verhaal van geen kant, het publiek zal uit angst wegblijven. De topzaak die Herman en Mia Kordaat in korte tijd hebben opgebouwd, zal ten onder gaan aan roddel en achterklap.'

De voorzieningenrechter was duidelijk geïntrigeerd door deze bizarre zaak. 'Mr. Zijweg', vroeg hij mijn tegenpleiter, 'u bent zo stellig in uw beweringen. Bent u eigenlijk zelf wel eens in 't Konijntje geweest?' Zichtbaar verrast gaf mijn asgrauwe collega een antwoord dat mijn eerdere stelling bevestigde: 'Geen denken aan. Ik zou niet durven, meneer de rechter.'

De uitspraak van de voorzieningenrechter was conform de verwachting. Publicatie van het verhaal werd verboden. Maar deze zaak kreeg nog een onverwachte wending. De werkelijkheid overtreft soms alle fantasie. Toen ik het vonnis doorbelde naar de familie Kordaat kreeg ik een ontroostbare Mia aan de lijn. Zij was nauwelijks te verstaan. 'Mr. De Mooij, ...iets vreselijks met Herman ... zijn hart ... niet gered ...'

De wietjesroker

Albertus Roest zat tegenover mij en stak zijn eerste sigaretje van de dag op. Gekleed in een spijkerbroek en een vaal poloshirtje deed Albertus in niets denken aan een schatrijke vastgoedmagnaat, maar dat was hij wel.

'Ik hoorde van mijn opzichter Appie Verbeek dat er problemen waren in een flatje van me aan de Leyweg', begon Albertus Roest zijn verhaal. 'Buren klaagden over een penetrante stank, die maar niet wegging. Bovendien bleek het elektriciteitsverbruik in de flat de afgelopen maanden verdrievoudigd. Een klassiek verhaal van hennepteelt, zou je zeggen. Ik heb Appie erop afgestuurd. Die belde vorige week aan bij de huurder van het appartementje, ene Winston Tosh. Tosh deed open, hij was high. Appie zei dat hij van de dienst Kijk- en Luistergelden was en de woning kwam inspecteren. Nou bestaat de dienst Kijk- en Luistergelden niet meer, maar dat wist Winston Tosh niet. Die eikel liet Appie dus binnen.' Albertus Roest inhaleerde diep en vervolgde zijn betoog. 'Wat ik al dacht klopte, de hele woning stond volgestouwd met wietplanten, in totaal zo'n vierhonderd. Vriend Winston had pijpen door het dak geslagen voor de afvoer, tapte elektriciteit af van de centrale groep en had voor het gemak ook nog eens een enorme lekkage veroorzaakt.'

Mijn cliënt had vervolgens de politie ingeschakeld. Kort daarna vond een inval plaats. De politie nam de installatie en alle planten in beslag. Winston Tosh werd ingerekend. Een dag later werd de huurder echter al weer in vrijheid gesteld.

Cliënt Roest: 'En die Tosh die zit nu dus weer gewoon in mijn appartementje, alsof er niets is gebeurd. De wijkagent vertelde dat hij niets kan doen omdat het een civiele kwestie betreft. Echt ongelofelijk. Je begrijpt, ik wil die Tosh niet meer als huurder. Er moet een kort geding tegen hem worden aangespannen.'

Ik verzamelde diverse bewijsstukken, waaronder het proces-verbaal van de inval en diverse verklaringen van buren en omwonenden. Vervolgens vorderde ik in kort geding ontruiming van het appartement aan de Leyweg.

Tot mijn verbazing verscheen de heer Tosh op de zitting. Regelmatig laten gedaagden in dit soort procedures verstek gaan. Winston Tosh had zich voor de gelegenheid in een keurig zwart pak gestoken. Zijn lange rastavlechten waren bijeengebonden. De ogen van Tosh stonden glazig, hij was duidelijk onder invloed van zijn eigen handelswaar. Toen ik voor de aanvang van de zitting mijn toga aantrok en hem een hand gaf, glimlachte hij vriendelijk. 'Te gekke jurk heb je aan, man', zei hij langzaam.

Voorzieningenrechter mr. Dof stond onder advocaten bekend als 'de sfinx'. Mr. Dof zei niet veel tijdens zittingen en toonde geen emotie. Namens Albertus Roest gaf ik een toelichting op de ontruimingsvordering. Winston Tosh had zich niet gedragen zoals een goed huurder betaamt en de woning niet gebruikt waarvoor zij bestemd was. Bovendien had Tosh gerommeld met de elektrische voorzieningen, overlast veroorzaakt bij zijn buren en Albertus Roest schade berokkend.

Tosh was zonder advocaat gekomen en benaderde de voorzieningenrechter op geheel eigen wijze. 'Weet je mister, in Jamaica rookt iedereen wiet. Het is goed voor je, een soort medicijn. Ik heb al die plantjes voor mijzelf laten groeien. Word ik lekker rustig van. Met een muziekje erbij. Een wietjesroker daar is niks mis mee namelijk. Ik blijf dus lekker wonen aan die Leyweg. Niets op tegen, toch?'

Rechter mr. Dof – asgrauw – keek over onze hoofden heen naar een plek op de muur. 'U zult moeten ontruimen, meneer Tosh', sprak hij ijzig. 'Uw gedrag is ontoelaatbaar.'

Winston Tosh leek even uit het veld geslagen en liet de boodschap op zich inwerken. In één vloeiende beweging schudde hij vervolgens zijn rastavlechten los, die in bossen rond zijn gezicht dansten. Vrolijk lachte hij mr. Dof toe: 'Hé Judge, heb je zelf wel eens een joint gerookt, lulman?'

Het tosti-meisje

Het schrijven van een juridische column heeft voor- en nadelen. Mensen klampen je met juridische vragen aan op het strand, in het café, de supermarkt en in de wachtkamer van de tandarts. Niet altijd even leuk. Positief daarentegen zijn de aantallen rechtzoekenden die zich per e-mail met nieuwe zaken melden. Iedere ochtend bij het opstarten van mijn computer trekt er weer een nieuwe rij ontroerende, verbitterde en geestige verhalen voorbij. Zakelijke kwesties zijn meestal in de vroege avond van de vorige dag geformuleerd. Later op de avond worden de e-mails emotioneler van aard. En ver na middernacht (als de levenspartners van de hulpbehoevenden de slaap der onschuldigen slapen) volgen steevast de vragen over alimentatie.

Ook Linda Walletjes had haar zaak per e-mail aan mij voorgelegd. 'Mr. De Mooij, u kent mij wel van de televisie, van "Zwoele Nachten" op net 12. Die uitzending was vorig jaar. Nou heb die man van de presentatie mij een brief gestuurd dat ze een samenvatting gaan maken van alle Zwoele Nachten. En daarin mag het tosti-meisje niet ontbreken, schrijft die engerd. Ik wil helemaal niet in de samenvatting!! Iedereen roept al tosti-meisje naar me en dan word het alleen maar erger! Ken u mij bijstaan?'

Ik besloot mevrouw Walletjes uit te nodigen voor een intakegesprek.

Een secretaresse belde mij toen Linda Walletjes was gearriveerd. 'Weet je wel met wie jij een afspraak hebt?', vroeg ze giechelend. 'Met het tosti-meisje!' Mevrouw Walletjes begroette mij met een slappe handdruk. Haar blonde haar was uitgegroeid en hing in natte pieken rond haar gezicht.

'Ik weet niet hoe ze van "Zwoele Nachten" bij mij terecht zijn gekomen', begon mijn cliënte haar betoog. 'Met mijn ex kwam ik wel eens in van die parenclubs, misschien dat ze me daar gespot hebben.' De redactie van het erotische programma had Linda Walletjes een jaar geleden benaderd en haar gevraagd mee te doen. Mijn cliënte was eeuwige roem in het vooruitzicht gesteld. Met haar optreden zou Linda Walletjes wellicht de eerste stap zetten richting een glanzende film- en televisiecarrière. 'Misschien word jij wel de nieuwe Caroline Tense, heb die man van de presentatie tegen mij gezegd.'

Na haar televisieperformance – waarbij cliënte lelijk klem kwam te zitten tussen twee heren van middelbare leeftijd – kreeg Linda Walletjes wel aandacht, maar niet die haar in het vooruitzicht was gesteld. 'In het programma werd ik steeds "tosti-meisje" genoemd, en buiten op straat ging iedereen dat ook naar mij roepen. Ik word er helemaal gestoord van, van die gekken!'

Aan het einde van het televisieseizoen was besloten dat er een compilatie van alle beste passages uit "Zwoele Nachten" op een dvd zou worden gezet. Mijn cliënte werd schriftelijk gevraagd om toestemming te geven voor deze bewerking. 'Als compensatie ontvangt u twee kaartjes voor het jaarlijkse Zwoele Nachten Feest!', was de laatste regel van de brief.

Namens cliënte nam ik contact op met de programmamakers. De mededeling dat Linda Walletjes haar medewerking niet zou geven, zorgde voor de nodige teleurstelling. Er moest een bespreking worden gearrangeerd. Wellicht kon mijn cliënte nog tot andere gedachten worden gebracht.

De bijeenkomst diende op neutraal terrein plaats te vinden, vond de redactie van "Zwoele Nachten". Gekozen werd voor een kamer in een motel aan de A4. Het regende toen ik samen met het tosti-meisje arriveerde. In kamer 202 zat de presentator van "Zwoele Nachten" en een vrouwelijke collega.

'Weet je zeker dat je niet op die schitterende compilatie-dvd wil, Linda?', vroeg de presentator met een diepe, warme stem. Ja, dat wist mijn cliënte zeker. 'En als ik je nu vertel dat deze dvd wel eens jouw grote doorbraak zou kunnen worden, meisje?', vervolgde de man, terwijl zich zweetdruppeltjes op zijn voorhoofd aftekenden. 'Ik wil geen tosti-meisje meer zijn', huilde Linda en stond op. De collega van de presentator probeerde mijn cliënte nog tegen te houden, maar die maakte zich snel uit de voeten. Ik wilde haar voorbeeld volgen, toen de presentator mijn arm greep. Zijn gezicht kwam dicht bij dat van mij. Met zijn bloeddoorlopen ogen keek de man mij doordringend aan. 'Praat jij nog eens met haar. Geloof me, dat meisje gaat het helemaal maken.'

Een goed geheugen, maar wat kort

Een maand of drie geleden werd ik in een boekwinkel op de Frederik Hendriklaan aangesproken door een rossige vrouw van halverwege de veertig. Zij stelde zich voor als Marjan Evers en vertelde dat haar vader, de heer De Limpens, een probleem had met twee huurders. 'Papa woont hier om de hoek op de Frankenslag. Na het overlijden van mijn moeder, acht jaar geleden, heeft hij de tweede en derde verdieping van het pand verhuurd aan een jong stel, Geert en Ilse de Jager. De man verkoopt advertenties voor een tijdschrift en zijn vrouw werkt bij een telemarketingbedrijf.' Recentelijk hadden de huurders een brief aan de heer De Limpens gestuurd, met de mededeling dat zij het perceel aan de Frankenslag van hem wilden kopen. Marjan Evers: 'Zij zeggen dat ze destijds een koopoptie met mijn vader zijn overeengekomen. Maar pappa kan zich het niet goed meer herinneren en het huurcontract is hij kwijt. Hij heeft het verstopt, maar weet niet meer waar. Mijn vader is erg achterdochtig geworden. En zijn geheugen gaat snel achteruit.'

Een week later bezocht ik de heer De Limpens thuis. De oude diplomaat, gekleed in een driedelig pak, ontving mij allerhartelijkst. 'Fijn dat u tijd voor mij hebt vrijgemaakt', sprak hij in deftig Haags. 'U bent op de hoogte van de netelige kwestie waarin ik verzeild ben geraakt?' Mijn cliënt vertelde dat hij de laatste maanden veel vaker bezoek van zijn huurders had gekregen dan voorheen. 'Dat meiske, kom hoe heet ze ook al weer, staat drie keer per week in mijn kamer. Ik ervaar dat als hinderlijk. Ze blijft maar zeuren. Over de huurprijs, over de servicekosten. En het vervelende is, ik ben het huurcontract kwijt. Dat heb ik haar overigens meermalen verteld.' Ik vroeg de heer De Limpens naar de koopoptie waarop zijn huurders zich beriepen. Hij dacht lang na. 'Ik heb het destijds wel met ze gehad over de mogelijke verkoop van mijn pand, maar ik kan mij met de beste wil van de wereld niet herinneren wat er is afgesproken.'

De huurders betrokken mijn cliënt in een gerechtelijke procedure. In de dagvaarding werd gerefereerd aan de koopoptie. Weliswaar konden ook Geert en Ilse de Jager het huurcontract waarin de bewuste passage was opgenomen niet terugvinden, maar zij waren bereid om onder ede de afspraak te bevestigen dat zij het pand op ieder gewenst moment van de heer De Limpens mochten overnemen. 'Ik vermoed dat het stel gebruik probeert te maken van de geestelijke conditie van mijn vader', vertelde Marjan Evers mij telefonisch. 'Dit mag toch niet gebeuren?'

Tijdens de comparitie van partijen wees de rechter-commissaris mijn cliënt op een bewijsprobleem. 'Meneer De Limpens, het is het verhaal van u tegenover dat van uw huurders. Tenzij u tegenbewijs levert, zal ik de vorderingen van de heer en mevrouw De Jager toewijzen.'

Na afloop van de zitting reed ik met mijn cliënt over het Lange Voorhout. 'Laten we een glas drinken in De Posthoorn', stelde de oude baas voor, 'daar ben ik jaren niet geweest.' We waren nog niet binnen, of mijn cliënt bloeide op. 'Weet u wel wie hier vroeger kwamen? Paul Steenbergen, Guido de Moor, Armando. Er werd hier gezopen ...!' Drie borrels verder stak de heer De Limpens een sigaar op. Bevlogen vertelde hij in detail hoe hij in een ver verleden met diverse beroemdheden in De Posthoorn had gedronken en gediscussieerd. 'Acteurs, schilders, politici. Het was een ontmoetingsplaats. Paul van Vliet, Hans Wiegel. En Hella Haasse kwam hier ook.' Toen veerde hij op. 'Hella Haasse! Verdomd! Het contract heb ik verstopt in dat boek van Hella Haasse. Over die theeplantages!'

Thuis aan de Frankenslag haalde mijn cliënt het boek uit zijn immense bibliotheek. Het huurcontract zat er inderdaad in. Onder het onderdeel 'bijzondere bepalingen' stond vermeld: 'Bij verkoop van het perceel zal Verhuurder het pand eerst aanbieden aan Huurders.'

'Dat is iets anders dan een koopoptie', constateerde ik en vertelde mijn cliënt dat hij zich geen zorgen hoefde te maken. De heer De Limpens stak nog een sigaartje op en zuchtte tevreden. 'Gelukkig kan ik mij altijd goed herinneren wat ik vergeten ben.'

Reclamejongen past arbeidsvoorwaarden aan

Cliënt Robbie van Haas toe Slooten behoorde tot een gefortuneerd Wassenaars geslacht. Tot ongenoegen van zijn familie had Robbie zich gestort in de snelle reclamewereld. Hij bedacht samen met twee zakenpartners campagnes voor diverse multinationals. Met zijn lange blonde haar, altijd bruine teint en Italiaanse pakken voldeed Robbie aan alle kenmerken van de stereotiepe reclamejongen.

'Raymond, jongen, luister', zei hij met een warme basstem, ontstaan na jarenlange oefening. 'Er werkt een vrouwtje bij mij op de tent – Pascalle heet ze – die onvoldoende functioneert. Lekker ding hoor (knipoog), maar net even een slag te dom voor het grote werk. We moeten van haar af, ze kost meer dan ze oplevert, weet je.'

Ik vroeg mijn cliënt of hij bewijsstukken van het disfunctioneren van Pascalle had. 'Heb ik allemaal niet op papier gezet, man', antwoordde Robbie met een hagelwitte lach, 'ik ben een creatieveling en geen ambtenaar.'

Niet voor de eerste keer wees ik Robbie op het belang van een dossieropbouw. 'Maak je borst maar nat, Pascalle gaat je geld kosten.' Maar Robbie was een andere mening toegedaan: 'Gelul, ik red me er wel uit. Zet jij die procedure nou maar op de rails.' Dat deed ik.

De kantonrechter te Den Haag bepaalde een mondelinge behandeling. Voor de zitting sprak ik de zaak nog even door met mijn cliënt. Hij droeg een pak van Armani en een zachtgeel overhemd met ingeborduurde initialen. Robbie blaakte van zelfvertrouwen. 'Pascalle praat zichzelf vast, ik kom eroverheen met een makkelijk verhaal, en jij roept nog wat juridische dingetjes.' Kort voor aanvang van de mondelinge behandeling arriveerde Pascalle Tourdoir, een beeldschone brunette. Naast haar liep haar advocaat, mr. Freulich uit Rotterdam.

Kantonrechter mr. Pruisken opende de zitting. 'Mij valt op dat de in het ontbindingsrekest verwoorde standpunten op generlei wijze onderbouwd worden. Meneer Van Haas toe Slooten, verklaar u nader.' Robbie stond op, knoopte zijn jasje dicht, en viel toen stil. Na seconden die uren leken, begon hij aan zijn verhaal. 'Mevrouw Pascalle, hoe zal ik het zeggen, is niet altijd ehh… even scherp. U moet weten ehh... het gaat over belangrijke zaken bij mij op kantoor.'

Pascalle Tourdoir kreeg de gelegenheid te reageren. 'Ik heb negen jaar met veel plezier bij het reclamebureau gewerkt. Nooit heb ik aanmerkingen gekregen op mijn functioneren. De problemen zijn in feite pas begonnen toen Robbie en ik (verlegen veegde Pascalle een pluk haar uit haar gezicht) warme gevoelens voor elkaar kregen. Hij sleepte mij mee naar eettentjes en terrassen. De andere eigenaren kregen hier schoon genoeg van. En nu moet *ik* het veld ruimen. Gezien de omstandigheden meen ik recht te hebben op een passende compensatie.'

De kantonrechter verwees partijen voor onderhandelingen naar de gang. 'O ja, meneer Van Haas toe Slooten', voegde hij mijn cliënt toe, 'enige coulance is op zijn plaats. Wie zijn billen brandt, moet op de blaren zitten.'

'En wie is hier nou het domme gansje?', vroeg ik mijn cliënt, terwijl wij naar de koffieautomaat liepen. 'Je hebt het gehoord zakenman, dat wordt betalen.' Robbie hervond zich snel. 'Relax nou maar, jongen. Ik regel het wel.' Met een John Travolta-loopje wandelde mijn cliënt op Pascalle Tourdoir af. Zij spraken twee minuten, waarna zij elkaar omhelsden.

'Je kan het verzoekschrift intrekken', zei Robbie na deze korte interventie. 'Pascalle blijft in dienst, het serpent. Ik heb de arbeidsvoorwaarden enigszins aangepast.'

Terwijl mr. Freulich en ik na de zitting een kop koffie dronken, zagen wij onze cliënten gezamenlijk in een rode Porsche voorbijscheuren. 'Het stel is aan elkaar gewaagd', constateerde mijn collega geamuseerd. Op weg naar mijn kantoor reed ik langs Hotel Carlton Ambassador. Schuin op de stoep stond een rode Porsche geparkeerd.

Een verhaal over een rare vogel

Vastgoedcliënt Bolster had mijn naam laten vallen bij een achterneef van hem, een zekere Roel Garoeda. Die had mij gevraagd om even bij hem langs te rijden. De woning van Garoeda in het drukke centrum van Den Haag maakte een verlaten indruk. Twintig vogelkooien, verspreid over de grote voor- en achterkamer, waren allemaal leeg. Mijn cliënt stond er beteuterd bij. 'Ik ben blij dat u bent komen kijken, mr. De Mooij. U krijgt zo een beter beeld.' Gekleed in een kleurig hawaïshirt en een strakke witte broek, leek Garoeda zo weggelopen uit een aflevering van Miami Vice. 'In Suriname houdt bijna iedereen vogeltjes, dat brengt geluk', vertelde hij. Een glimlach brak door op zijn vriendelijke gezicht.

Roel Garoeda had niets gemerkt van de inbraak. De achterdeur van zijn woning was geforceerd en onverlaten hadden al zijn kostbare vogels meegenomen. 'Ik ben er gewoon doorheen geslapen. Toen ik wakker werd, dacht ik wel "tsjonge, wat is het stil". Ik liep naar beneden en schrok mijzelf een hoedje. Al mijn vogeltjes waren gevlogen.'

Garoeda woonde al twintig jaar in Nederland. Hij was de trotse bezitter van een bonte verzameling exotische vogels. 'Ik begon met een paar kaketoes, en van het een kwam het ander. Op het laatst had ik zeventig fluitertjes. Het was hier altijd gezellig.'

Na de diefstal had Garoeda zijn schade geclaimd bij verzekeringsmaatschappij De Zondvloed. De verzekeraar had een expertisebureau ingeschakeld. Doortastende onderzoekers van dit bureau kwamen met een lijvig rapport. De Zondvloed nam de conclusie van haar experts over en bevestigde een en ander in een brief aan cliënt. 'Slotsom is dat wij een sterk vermoeden hebben dat de inbraak in scène is gezet. Dat u de roof van 70 zangvogels in de nachtelijke uren niet zou hebben opgemerkt, achten wij minder geloofwaardig. Op grond van artikel 14c sub 3 van onze algemene bepalingen zullen wij niet tot uitkering overgaan.'

Namens mijn cliënt betrok ik De Zondvloed in een gerechtelijke procedure en vorderde een schadebedrag van € 90.000. De Rechtbank 's-Gravenhage bestudeerde de stukken en gelastte een comparitie van partijen. Namens De Zondvloed was aanwezig schadedeskundige de heer Dunnetjes. Een nerveuze man, gekleed in een auberginekleurig pak. 'Wij hebben aanwijzingen dat de heer Garoeda zijn vogels tijdelijk heeft geparkeerd – zo noemen wij dat edelachtbare – bij een familielid. In de vogelwereld wordt dat trucje regelmatig toegepast. Als de rechtszaak achter de rug is, keren de vogels meestal verrassend snel terug op hun nest.'

'Aanwijzingen dient u te concretiseren, meneer Dunnetjes', antwoordde de magistraat koel. 'In een rechtszaak gaat het om feiten en bewijzen, niet om indrukken en veronderstellingen.'

'Meneer Garoeda', vervolgde de rechter, 'vertegenwoordigen zeventig vogeltjes echt een waarde van € 90.000?' Mijn cliënt stond op. Hij had voor de gelegenheid een arsenaal aan goudkleurige kettingen om zijn hals gehangen. Geëmotioneerd barstte hij los. 'Wat denkt u van mijn pruimkopparkieten, ara's en viooltjeslori? Het zijn allemaal fluitertjes hoor, ze zijn onbetaalbaar. Alleen de kakarika is al € 30.000 waard, edelachtbare. Ik heb hem zelf leren zingen. Een zingende kakarika zie je niet veel.'

'En wat zong uw kakarika zoal?', vroeg de rechter geamuseerd. Garoeda: 'Ik heb de vogel geleerd zijn eigen naam te zingen, zal ik het even voordoen?' Zonder een antwoord af te wachten haalde mijn cliënt diep adem en imiteerde: 'Kakarika, kakarika!!' Triomfantelijk draaide hij zich naar mij om. Toen wendde hij zich weer tot de rechter. 'Ik zal hem missen, meneer. Nooit koop ik meer een andere kakarika. Dat beloof ik u.'

Drie maanden later wees de rechtbank een eindvonnis en stelde Garoeda in het gelijk. De rechtbank overwoog dat De Zondvloed niet aannemelijk gemaakt had dat de vogeltjes van Garoeda inderdaad 'geparkeerd' waren bij derden. De verzekeraar moest gewoon uitkeren. Wel matigde de rechtbank het schadebedrag tot € 50.000.

Nadat ik het vonnis had doorgelezen, belde ik Garoeda. 'Dag mr. De Mooij', zei hij vriendelijk, 'hoe is de zaak afgelopen?' En net wilde ik de blijde boodschap verkondigen, toen ik ruw werd onderbroken. Aan de andere kant van de lijn klonk op de achtergrond een luide lokroep, die mij bekend voorkwam: 'Kakarikaaa ... Kakarikaaa!!!'

Haagse cowboy en zijn Bungy Jump

Je ziet het niet vaak. Een cliënt die zich in korte broek en slippers bij zijn advocaat meldt.

Jan Weismuller stond lachend in de hal van ons kantoor, bruinverbrand in een afgeknipt T-shirt. Hij had geen afspraak, maar was zo komen binnenwandelen. 'Meneer De Mooij heeft zeker tijd voor mij', had hij de receptioniste zelfverzekerd gemeld. In het verleden had ik John vaker bijgestaan. Hij is de eigenaar van een aantal Bungy-Jump-toestellen. Bungeejumpers springen nadat ze aan een elastiek zijn bevestigd van circa zestig meter hoogte van een soort hijskraan. Als het elastiek goed is afgesteld, raken zij de grond nét niet. Dat schijnt een enorme kick te geven. Mensen betalen er graag € 50 tot € 100 per sprong voor. 'De risico's zijn nihil', had mijn cliënt mij uitgelegd, 'met mijn machines zijn nog nooit problemen geweest.'

Jan Weismuller had problemen van een andere aard. 'Je weet dat ik een Bungy Jump in Den Haag heb staan, aan het water. Ik huur die stek van Walter Kalkoen. De familie Kalkoen heeft een keten van snackbars.' Mijn cliënt trok een vies gezicht. 'Ze zijn rijk geworden met kroketten en frikadellen, smerig hè?'

Walter Kalkoen had mijn cliënt de huur opgezegd. 'U dient de locatie binnen 3 weken na heden te verlaten en te ontruimen. Daarbij dienen de Bungy Jump en Slingshot afgevoerd te worden', was Jan Weismuller schriftelijk meegedeeld. Een Slingshot is een apparaat waarmee het slachtoffer de lucht in wordt geslingerd, een soort omgekeerde Bungy Jump. 'Het is een schande', vond mijn cliënt, 'ik huur die plek al zeven jaar en nu moet ik binnen drie weken mijn biezen pakken. Wat denkt die patatbakker wel?' Een secretaresse kwam met koffie de bespreekkamer binnen. 'Hoe kan dat toch', vroeg Jan mij quasi verbaasd, 'jij bent zo lelijk en toch werken hier zulke mooie vrouwen ...' En tegen de secretaresse: 'Gaat het jou dan alleen maar om het geld, lieverd?' Met een rood hoofd maakte mijn medewerkster zich uit de voeten.

Namens Jan Weismuller schreef ik Walter Kalkoen een briefje. Anders dan Kalkoen kennelijk meende, waren op de overeenkomst tussen partijen de wettelijke bepalingen die gelden voor de huur van winkelruimte, van toepassing. Mijn cliënt beriep zich derhalve op huurbescherming en zou niet tot ontruiming overgaan. Een week later kreeg ik een schriftelijke reactie van mr. Plank, de advocaat van Walter Kalkoen. 'Uw standpunten zijn volstrekt onjuist. Cliënt rest geen andere mogelijkheid dan uw cliënt in een kort geding te betrekken.'

Walter Kalkoen verscheen op de zitting in een bruin pak. Op zijn brede stropdas was een afbeelding van Mickey Mouse geborduurd. Mr. Plank trachtte de voorzieningenrechter, mevrouw mr. Parel, te overtuigen met een gloedvol betoog. 'De huurovereenkomst valt onder het regime van artikel 7:230a BW. De heer Weismuller komt geen huurbescherming toe en moet vertrekken. Daarbij dienen de Bungy Jump en Slingshot verwijderd te worden.' De voorzieningenrechter tastte enigszins in het duister. 'Bungy Jump, Slingshot, het zijn voor mij onbekende fenomenen. Meneer Weismuller, legt u eens uit.'

Jan – twee meter groot en twee meter breed – stond op. Het charmeoffensief kon beginnen. Met een verhaal van een kwartier wijdde hij mevrouw Parel in de wereld van het bungeejumpen in. Op het laatst sloeg mijn cliënt een beetje door. 'Als ik zo naar u kijk, Edelachtbare, lijkt het mij echt iets voor u om een sprong te maken! Volgens mij houdt u wel van avontuur.'

In een vonnis twee weken later wees de voorzieningenrechter de ontruimingsvordering van Walter Kalkoen af. Wel diende mijn cliënt de Slingshot te verwijderen, nu de huur alleen toezag op het Bungy Jump-toestel.

En paar vierkante mannen van een sloopbedrijf uit Leiden hadden de loodzware Slingshot-apparatuur een maand later in opdracht van mijn cliënt weggesleept. Jan Weismuller bracht telefonisch verslag uit. 'Wat die gasten mij vertelden! Ze werden tijdens hun werkzaamheden benaderd door een man. Zijn naam wisten ze niet, maar hij had een opvallende stropdas gedragen. Die man heeft hun € 500 geboden om mij in elkaar te rossen en in het water te gooien.' Mijn cliënt snoof van woede. 'En dat is hopelijk niet gebeurd?', vroeg ik. Jan

Weismuller lachte. 'Nee, ze hebben mij eens goed aangekeken en toen van dat klusje afgezien.'

Wie niet horen kan

Ralf Oostindië zat in onze bespreekkamer en stond beleefd op toen ik binnenliep. Met een harde, nasale stem zei hij: 'Leuk om kennis te maken, mr. De Mooij. U weet dat ik doof ben? Langzaam praten en duidelijk articuleren graag, ik ben een goede liplezer.'

De heer Oostindië vertelde dat hij drie maanden eerder betrokken was geweest bij een ernstig auto-ongeluk. 'Ik heb een enorme klap gemaakt. Toen ik wakker werd in het ziekenhuis was ik een been en twee vingers kwijt. Maar het ergste was: ik kon geen pest meer horen.'

De plotselinge doofheid had mijn cliënt voor talloze problemen geplaatst. Met name de relatie met zijn werkgever Plasma B.V. was onder druk komen te staan. 'Vijftien jaar heb ik als ingenieur voor dat bedrijf gewerkt. Dacht je dat ze enig begrip voor mijn situatie hadden? En nu willen ze van mij af. Voor een dove is natuurlijk geen plaats meer.' Ralf Oostindië overhandigde mij een verzoekschrift. Plasma B.V. verzocht de kantonrechter in Den Haag om de arbeidsovereenkomst met haar werknemer Oostindië te ontbinden op grond van een wijziging van omstandigheden.

Tijdens de mondelinge behandeling vertelde de advocaat van Plasma B.V. hoe het verkeersongeluk een ander mens van Ralf Oostindië had gemaakt. 'Dat de heer Oostindië doof is, heeft niets met dit verzoek te maken. Kern van het probleem is dat de man onhandelbaar is geworden. Hij vertrouwt niemand, maakt met iedereen ruzie en roept te pas en te onpas: "Ik ben doof, ik ben doof!"'

Namens mijn cliënt betoogde ik dat diens doofheid wel degelijk de oorzaak van het arbeidsgeschil was. Plasma B.V. had de heer Oostindië meer tijd moeten geven om zich aan te passen en hem moeten helpen. Een forse gouden handdruk was op zijn plaats.

In zijn beschikking volgde de kantonrechter die redenering. De arbeidsovereenkomst tussen partijen werd ontbonden, maar Plasma B.V. diende mijn cliënt een vergoeding van € 200.000 te betalen.

Deze gang van zaken leek mijn cliënt te bevallen. Acht maanden later zat hij weer in de bespreekkamer. 'De Mooij, ik word weer gediscrimineerd. Ik heb een arbeidscontract van een jaar met Bouwkracht B.V., maar dat bedrijf heeft me na twee maanden op non-actief gezet en wil geen loon doorbetalen.'

In de opvolgende rechtszaak vond een herhaling van zetten plaats. Bouwkracht B.V. meldde bij monde van haar raadsman dat met Ralf Oostindië geen land te bezeilen viel. Hij dacht continu dat collega's over hem roddelden, zocht problemen en betichtte iedereen van discriminatie.

'Allemaal praatjes', riep Ralf tegen de kantonrechter. 'Ik ben doof en dat bevalt hun niet. Hadden ze mij maar niet aan moeten nemen!' De kantonrechter stelde Oostindië ook nu in het gelijk, Bouwkracht B.V. diende loon door te betalen tot het einde van het contract.

Kort daarna maakte Ralf Oostindië opnieuw zijn opwachting. 'Ik wil scheiden, mr. De Mooij. Mijn doofheid had één plezierig aspect: ik kon mijn vrouw Paula niet meer horen. En nu wil ik haar ook niet meer zien. Paula praat achter mijn rug om. Als dove voel je dat.'

Nadat Ralf Oostindië vervolgens mijn hulp had ingeroepen bij conflicten met zijn tandarts, een autohandelaar en een gemeenteambtenaar, besloot ik de samenwerking te verbreken.

Mijn cliënt begreep daar niets van. 'U zegt dat ik misbruik maak van mijn doofheid, maar ik maak er alleen gebruik van. Dat is wat anders.'

Een week geleden stonden twee agenten op de Frederik Hendriklaan een bon uit te schrijven. Er stond een auto dubbel geparkeerd, de Peugeot van Ralf Oostindië. Ralf kwam juist aanlopen, een uitgebreide discussie volgde. Van een veilige afstand sloeg ik het tafereel glimlachend gade. De twee agenten werden roder en roder. Om de auto vormde zich een menigte. Ralf Oostindië stond in het midden en zwaaide woest met zijn armen. 'Maar ik ben doof!' riep hij telkens. 'Ik ben doof!'

Het verdriet van meneer Rashid

De heer Rashid had een azuurblauwe jurk aan, met zilveren kraaltjes aan de mouwen. Het kledingstuk kon zijn omvang niet verhullen, mijn cliënt moet zeker 140 kilo hebben gewogen. Rashid bewoog zich opvallend gemakkelijk. Schijnbaar zonder moeite trippelde hij de trap op naar de bespreekkamer.

'Meneer De Mooij', begon Rashid zijn verhaal, 'die vrouw van mij heet Singhkhan, ik heb gehaald uit India. Zij was mooi meisje, maar arm. Ik haar meegenomen naar Nederland voor te trouwen en kindertjes te maken ...' Mijn cliënt keek mij aan met een ontwapenende blik. 'Ik was blij met die Singhkhan, zij goed koken en vier kindjes aan mij gegeven.' Al pratend overhandigde Rashid een stapel foto's. Plaatjes van vrolijk lachende kinderen in felgekleurde kleding, variërend in leeftijd van twee tot zeven jaar. 'Die Singhkhan ging overdag schoonmaken bij bedrijf, ik thuisblijven voor kinderen. Kan niet werken door hartprobleem.'

Rashid vertelde dat hij op een dag na een familiebezoek thuis was gekomen en zijn woning leeg had aangetroffen. Zijn vrouw, kinderen en het merendeel van het meubilair waren verdwenen. Radeloos had mijn cliënt vrienden en familie gebeld. Niemand wist waar zijn vrouw en kinderen verbleven. Na drie weken van onzekerheid had Rashid een brief ontvangen van mevrouw mr. Rambadjhan, de Amsterdamse advocate van mevrouw Singhkhan. In een paar alinea's werd meegedeeld dat een echtscheidingsprocedure aanhangig zou worden gemaakt. De zorg voor de kinderen diende te worden toevertrouwd aan mevrouw Singhkhan, zo werd geschreven, 'om bekend veronderstelde redenen.'

'Waarom, waarom die Singhkhan weggaan?' vroeg Rashid mij met vochtige ogen. 'Ik moet kinderen zien. Kinderen zijn alles. Ik elke dag voor zorgen. Jij moet vertellen aan rechter.'

Om enige duidelijkheid te krijgen belde ik de advocate van mevrouw Singhkhan. 'Schande dat u die man bijstaat', ratelde zij. 'Incestueuze handelingen, weet u. Geweldsmisdrijven jegens minderjarigen. Pas maar op, u wordt medeplichtig ...' Voordat ik kon reageren, verbrak mr. Rambadjhan de verbinding.

Namens Rashid verzocht ik de Rechtbank 's-Gravenhage een omgangsregeling te bepalen. Rashid had zijn kinderen inmiddels twee maanden niet gezien en was ten einde raad. Tijdens de zitting onderstreepte ik dat Rashid de kinderen verzorgd had. Zij hadden hem nodig.

Mr. Rambadjhan was een andere mening toegedaan. Zij beschuldigde de Rashid van incest, hij zou zijn kinderen hebben misbruikt. 'En hij heeft mijn cliënte geslagen met een bamboestok, zo vaak als hij wilde.' Mevrouw Singhkhan zat doodstil naast haar advocate, een vage glimlach rond haar lippen.

De rechtbank gelastte een onderzoek door de Raad voor de Kinderbescherming. Zeven weken later meldde Rashid zich op mijn kantoor. Ik schrok van hem. Mijn cliënt was zeker 25 kilo afgevallen. 'Ik dom geweest. Heb meneer van Kinderbescherming klap gegeven. Ik gek word door verdriet.'

De Raad voor de Kinderbescherming oordeelde dat er geen bewijs van incest was, maar dat Rashid opvliegend van aard was. Een omgangsregeling werd afgeraden. De rechtbank nam dit advies over.

Zes maanden waren verstreken. In de tussentijd was Rashid drie keer met hartproblemen afgevoerd naar het ziekenhuis. Hij had de helft van zijn lichaamsgewicht verloren. Op de dag dat de echtscheiding een feit was, hing Rashid aan de lijn. 'Ik nu weet wat gebeurd. Die Singhkhan vriend krijgen bij schoonmaakbedrijf. Zij met hem en kinderen wonen in Amsterdam ...'

Maanden verstreken zonder dat ik van mijn cliënt vernam. Toen ontving ik een trouwfoto. Een weer uitgedijde Rashid straalde mij tegemoet, aan zijn arm een jonge Indiase schone. Op de achterkant van de foto stond een handgeschreven tekstje: 'Ik nieuwe vrouw nemen. Groeten van meneer Rashid.'

Kelderbox als afwerkplek van homoprostitué

'Is het juist dat u geld verdient door in uw kelder seksuele handelingen met mannen te verrichten?' De kantonrechter stelde de vraag op zakelijke toon en hield zijn gezicht in de plooi. Zijn griffier verschuilde zich achter haar computerscherm. De vraag was gericht aan de huurder van een appartement in een randgemeente van Den Haag. Een zwarte man van halverwege de dertig met een felgeel overhemd aan, luisterend naar de naam Elroy Blaashoorn. Hij huurde het pand van mijn cliënte stichting Burgstate, een woningcorporatie.

Buren van Elroy Blaashoorn hadden bij Burgstate klachten ingediend. Zij ondervonden ernstige overlast. 's Nachts werden zij wakker van geschreeuw en gekreun, afkomstig van mannelijke klanten die Elroy in zijn kelderbox bediende. Bovendien zou er door Blaashoorn in drugs worden gehandeld. Auto's reden af en aan in de verder rustige omgeving, waardoor buren de slaap niet konden vatten. Ook overdag was het een komen en gaan van allerlei duistere types. 'Mijn kinderen worden geconfronteerd met de vunzige praktijken van de heer Blaashoorn', schreef een buurman, 'er liggen gebruikte condooms in de centrale hal. Verder laat de man regelmatig zijn kelderdeur openstaan terwijl hij met een klant in de weer is.'

Sommaties om de zakelijke activiteiten te staken hadden weinig indruk op Elroy gemaakt. Hij ontkende alle aantijgingen en ging stug door waarmee hij bezig was.

Op verzoek van Burgstate had ik de huurder vervolgens in een rechtszaak betrokken en ontbinding van de huurovereenkomst gevorderd.

'Het is één grote leugen, Edelachtbare', beantwoordde Blaashoorn de vraag van de kantonrechter. 'In mijn kelder ligt wat oude rotzooi; ik gebruik de ruimte nooit. En zeker niet om vieze dingen te doen.' De advocaat van de huurder knikte instemmend, evenals een oude man met een geruit hoedje, die achter in de rechtszaal had plaatsgenomen. De kantonrechter bladerde door het dossier. 'Ik tref tussen de stukken vijftien verklaringen aan van uw buren en medewerkers van Burgstate. En een rapportage van de wijkagent. U zou wel degelijk als prostitué werken en handelen in drugs. Vertelt u eens, bent u zelf verslaafd?'

De deftig formulerende advocaat van Elroy Blaashoorn mengde zich in de strijd. 'Mijn cliënt heeft een drugsprobleem gehad, maar dat gelukkig overwonnen. Hij heeft verder een gevarieerd liefdesleven. Van prostitutie is echter geen sprake. Het is de burgerlijke attitude van de buurt die mijn cliënt parten speelt.' De kantonrechter gaf een medewerkster van Burgstate de gelegenheid te reageren. Zij toonde de kantonrechter foto's van de kelderbox van de huurder. Er waren een tweepersoonsbed, een nachtkastje en een paar halfvolle wijnglazen op te zien. 'Hieruit blijkt dat de kelder niet alleen als opslagruimte dient. Verder heb ik zelf diverse malen geconstateerd dat de heer Blaashoorn zich met mannelijk bezoek terugtrok in zijn kelder. Later zag ik ze in het portiek afrekenen.'

Namens Burgstate onderstreepte ik de door de huurder gepleegde wanprestatie. Hij zorgde voor structurele overlast en gebruikte de woning voor zakelijke doeleinden, en dat was contractueel verboden.

De duur van de zitting werkte inmiddels in het nadeel van Elroy Blaashoorn. Hij snakte duidelijk naar een chemische versnapering. Zijn gele overhemd vertoonde steeds grotere transpiratieplekken. Van zijn aanvankelijke spraakzaamheid was weinig over. De man maakte een gejaagde indruk.

'Meneer Blaashoorn', besloot de kantonrechter de comparitie, 'de bewijzen tegen u zijn overweldigend en uw ontkenningen doen daar niets aan af. U zult uw woning moeten ontruimen.' Elroy Blaashoorn reageerde niet. Hij wilde maar één ding: weg uit de rechtszaal.

Toen ging de oude man met het geruite hoedje staan en vroeg de aandacht. 'Mag ik wat zeggen?' De kantonrechter knikte. 'In de verklaringen van de buren wordt gesproken over een oude man met een geruit hoedje die regelmatig met de heer Blaashoorn de kelder in verdween. Ik wil vandaag graag benadrukken, meneer de rechter, dat was ik dus niet!'

Singing in the rain

Onze receptioniste had Marco Delfos alvast naar een bespreekkamer gedirigeerd. Hij was kind aan huis. Mijn cliënt had in de loop der jaren voor een vermogen aan vastgoed verworven. Kantoorgebouwen, winkelcentra en woonhuizen waren door Marco Delfos ondergebracht in een dertigtal besloten vennootschappen. 'Veel stenen, veel problemen', was een standaarduitdrukking van mijn cliënt. Toen ik de zaal binnenkwam, liep ik tegen een knoflook- en sigarettenwalm op. Marco keek mij even aan, liet een begroeting achterwege en stak zijn zoveelste Marlboro van de dag op. 'Jij kent Jelmar van Beek toch wel?', vroeg hij. 'Die dikke jongen uit de Vruchtenbuurt. Werkt al twintig jaar voor mij. Netjes getrouwd, drie kinderen, niks aan de hand.' Ik knikte. 'Nou, Jelmar is dus sinds kort nachtportier in dat nieuwe winkelcentrum van mij in Rotterdam', vervolgde mijn cliënt. 'Maar de man heeft een vreemde hobby. Ik weet niet wat ik ermee aan moet.'

Twee weken eerder was Jelmar van Beek een aantal nachten op rij niet verschenen op zijn werk. Navraag bij zijn echtgenote had niets opgeleverd. Marco Delfos: 'Ik ben eens rond gaan bellen en wat bleek? Mijn nachtportier zit achter slot en grendel. Hij is veroordeeld wegens verstoring van de openbare orde. Van Beek is in een bunnypak aangetroffen in het Haagse Bos met zijn konijn uit zijn gulp.'

Aangezien mijn cliënt niet wist hoelang zijn werknemer uit de roulatie zou zijn, vorderde ik namens Marco Delfos de ontbinding van de arbeidsovereenkomst. In de aanloop naar de zitting werd niets van Jelmar van Beek vernomen. Kennelijk vertoefde hij nog in de gevangenis. Maar een aantal minuten voor de mondelinge behandeling kwam Van Beek zenuwachtig aangewandeld, vergezeld door zijn vrouw. De man zag er normaal uit. Spijkerbroek, poloshirt en kortgeknipt haar. Toen hij mijn cliënt zag, barstte Jelmar van Beek in tranen uit. 'Sorry meneer Delfos, het was een misverstand', snikte hij. 'Ik weet niet waarom ik het gedaan heb. Het spijt me, meneer Delfos.'

Ook zijn echtgenote mengde zich in de strijd. 'Alstublieft, geeft u mijn man nog een kans. We hebben drie schoolgaande kinderen en kunnen het geld niet missen.'

Marco Delfos was een harde zakenman, maar hij had een goede inborst. Na een kort overleg betrad ik de zittingzaal alleen en trok namens mijn cliënt de vordering in. Opnieuw vloeiden de tranen rijkelijk bij de familie Van Beek. Gezamenlijk dronken wij een kop koffie op de goede afloop.

Twee weken later nam Delfos telefonisch contact met mij op. 'Ik loop zo even bij je langs met Peter Hoekstra. Hij wisselt de nachtdiensten af met Jelmar van Beek. Peter heeft een mooi verhaal.' Tien minuten later stak Hoekstra van wal. Een dag eerder wilde hij Van Beek om twee uur 's ochtends aflossen. 'Toen ik op mijn werk arriveerde, zat Jelmar rillend van de kou op de trap voor de hoofdingang van het winkelcentrum. Hij had een rieten rokje aan, maar was verder bloot.' Na enig aandringen had Jelmar verteld wat hem was overkomen. Uitgedost als Braziliaanse schone was hij gaan wandelen langs de kade van een sloot. Een nachtelijke zwempartij had hem wel spannend geleken. Toen Jelmar uitgezwommen was, bleken zijn kleren echter door een grapjas te zijn meegenomen. Op het rokje na.

'Niet alleen laat Van Beek mijn winkelcentrum onbewaakt, maar bovendien schaadt hij mijn naam en reputatie', foeterde mijn cliënt. 'Stuur hem een schriftelijke waarschuwing, De Mooij! En meldt dat het de allerlaatste is.'

Maar niemand wist wat zich exact afspeelde in het hoofd van nachtportier Jelmar van Beek. Hij hield van zijn vrouw en kinderen. En realiseerde zich dat zijn familie afhankelijk was van het inkomen dat hij genereerde. Toch was er een paar weken later een volgend incident. Dienstdoende agenten zagen Jelmar in de regen zingen en dansen op de binnenplaats van het winkelcentrum dat hij moest bewaken. Hij was naakt en had een felgekleurde paraplu in zijn rechterhand. Muziek schalde uit het centrale geluidssysteem. En terwijl de nachtportier soepele sprongen maakte op het ritme van de muziek, bewonderde hij zijn eigen prestaties in de weerspiegelende winkelruiten.

Manegehoudster vergaloppeert zich

Twee maanden geleden kreeg ik een telefoontje van jonkvrouw Annelous Kuitenblazer. Ons kantoor had eerder zaken gedaan voor het bedrijf van haar man, Karel Kuitenblazer. De jonkvrouw – woonachtig te Marlot – zag er deftig uit, vond zichzelf ook erg deftig, maar vooral: sprak erg deftig. 'Mr. De Mooij,' ik rijd al een jaar of dertig peerd op manege 't Duinpad. Wij bezitten een aantal peerden, Kaerel heeft recentelijk nog een volbloedje aan mij cadeau gedaan. Voor onze zilveren bruiloft, moet u weten.'

Mevrouw Kuitenblazer mocht af en toe in haar deftigheid verdrinken, zij had het hart op de juiste plaats. Op manege 't Duinpad liep al twintig jaar een jongeman rond, Erik Kuiper. Erik was zwakbegaafd, hij verleende allerlei hand- en spandiensten op de manege. Bijvoorbeeld borstelde hij sinds jaar en dag de paarden van de familie Kuitenblazer. Tussen Annelous Kuitenblazer en Erik Kuiper was een vriendschappelijk band ontstaan. 'De knul heeft het buskruit niet uitgevonden, *fair enough*', vertelde mijn cliënte, 'maar hij is aardig en werkt hard. Dat is al heel wat, vandaag de dag.' Erik woonde al jaren in een veredelde woonwagen op de manege. Mevrouw Kuitenblazer: 'Maar van de ene op de andere dag was Erik vertrokken. Van de aardbodem verdwenen. Zijn huisje was leeg, heel curieus allemaal.' De jonkvrouw deed navraag bij de eigenaresse van de manege, mevrouw Els Zweephart. Die begreep er ook niets van. 'Ik vind het eerlijk gezegd nogal onbehoorlijk dat hij zomaar is weggegaan', vertrouwde zij Annelous Kuitenblazer toe.

Maar mevrouw Kuitenblazer wilde er het fijne van weten. Zij ging op onderzoek uit en achterhaalde de verblijfplaats van Erik Kuiper. Hij woonde inmiddels bij een tante in de binnenstad. Annelous zocht contact. 'Wat bleek, Erik was door Els Zweephart afgeranseld om een futiliteit en zijn huisje uitgezet! En *on top of that*, die mevrouw Zweephart heeft Erik de afgelopen twintig jaar geen penny betaald. Het is toch een *bloody shame*!'

Op verzoek van mevrouw Kuitenblazer sprak ik met Erik Kuiper en ondernam actie. Ik verzocht Els Zweephart in een sommatiebrief om duidelijkheid te verschaffen. Een week later volgde een handgeschreven respons. Mevrouw Zweephart had wel degelijk loon betaald, maar het bedrag zolang voor mijn cliënt 'bewaard'. Toen ik vervolgens op betaling aandrong, bleef het stil. Een kort geding volgde. Els Zweephart, een magere vrouw met sluik haar en grote tanden, verscheen met haar advocaat mr. Kefje. Die betoogde dat de loonvordering van Erik Kuiper verjaard zou zijn. Maar de voorzieningenrechter had de stukken goed gelezen: 'Eiser vordert feitelijk geen loon, maar een bedrag dat mevrouw Zweephart naar eigen zeggen ten behoeve van hem heeft bewaard. Ik zal de vordering toewijzen.'

Jonkvrouw Kuitenblazer en haar beschermeling Erik hadden nu de smaak te pakken. Een volgende procedure werd aanhangig gemaakt. Immers, mevrouw Zweephart had Erik Kuiper kennelijk op staande voet ontslagen zonder daarvoor een plausibele reden te hebben. Ik vorderde onder meer doorbetaling van loon. Mr. Kefje pleitte voor wat hij waard was, maar de kantonrechter was gedecideerd. 'Het ontslag op staande voet is nietig. Nu de heer Kuiper zich bereid heeft verklaard om zijn werkzaamheden te hervatten, moet mevrouw Zweephart vanaf de datum van het vermeende ontslag salaris voldoen.' De eigenaresse van de manege kon maar moeilijk bevatten wat haar overkwam. Afkeurend schudde zij met haar hoofd.

De loop der gebeurtenissen noodzaakte Els Zweephart om vervolgens ontbinding van de arbeidsovereenkomst te verzoeken. Dezelfde kantonrechter behandelde het rekest. Namens Erik Kuiper vroeg ik om een ontslagvergoeding die correspondeerde met veertig maandsalarissen. Mijn cliënt trof in deze affaire immers geen enkele blaam? Mr. Kefje probeerde er het beste van te maken, maar trof opnieuw de kantonrechter op zijn weg. 'Meneer Kefje, u kunt in alle redelijkheid de heer Kuiper niet verantwoordelijk houden voor de verstoorde arbeidsrelatie. Uw cliënte dient de hand echt in eigen boezem te steken.'

Na de zitting nam ik afscheid van mr. Kefje. Mevrouw Zweephart negeerde Erik Kuiper, Annelous Kuitenblazer en mijn uitgestoken hand. Briesend verliet zij het Paleis van Justitie.

Vliegende ratten leiden tot burenruzie

De klachten die de woningcorporatie ontving, waren talrijk. Honderden wilde duiven beheersten het dagelijks leven van de huurders van een flatgebouw in het centrum van Den Haag. 'Heb ik net de was buiten gehangen, is-ie binnen een kwartier ondergescheten. Ken ik weer van vooraf aan beginnen', schreef een van de bewoners op een overlastformulier. De andere huurders hadden vergelijkbare verhalen. 'Ik heb de afgelopen weken drie keer zo'n plakkaat duivestront op me hoof gehad, ik ben klaar met die teringbeesten.'

De pijlen van buren en buurtbewoners richtten zich op de heer en mevrouw Kruimel. Deze flatbewoners hielden in hun balkonkast een viertal sierduiven. En die duiven zouden wilde vogels aantrekken. 'Ik heb mevrouw Kruimel ook zo vaak handjes met voer over de rand van haar balkon zien flikkeren. Ze voert die wilde duiven gewoon, en die beesten kennen dat onthouwe', meldde een bewoner telefonisch aan een medewerker van de woningcorporatie. Mijn cliënte nodigde de heer en mevrouw Kruimel uit voor een gesprek. Die waren zich van geen kwaad bewust. 'Wij hebben een paar duifjes op ons balkon. Dat heb niks met die wilde duiven te maken. Die komen op het eten af dat al die moslimfamilies naar buiten pleuren', was hun verweer. Zij weigerden om de sierduiven weg te doen. Dat zorgde voor een steeds grotere onrust in de buurt. Mijn cliënte werd gesommeerd om actie te ondernemen.

Eerst werd getracht om door mediation tot een oplossing te komen. Na een aantal tumultueuze praatsessies werden afspraken gemaakt. Iedereen moest op zijn qui-vive zijn en geen etensresten of duivenvoer laten rondslingeren.

Maar een week later was het al weer bal. 'Ik zag Thea Kruimel een paar handen duivenvoer uitstrooien', vertelde een buurman aan mijn cliënte. 'En ze laat dat hok openstaan. De hele dag vliegen er wilde vogels in en uit.' Medewerkers van mijn cliënte gingen op onderzoek uit. De familie Kruimel lapte de gemaakte afspraken inderdaad aan haar laars. In een brief sommeerde ik hen om de sierduiven te verwijderen. Er volgde een reactie van hun advocaat. De sierduiven bleven waar ze waren: in de balkonkast van zijn cliënten.

Op verzoek van de woningcorporatie begon ik een gerechtelijke procedure en vorderde dat de heer en mevrouw Kruimel hun duiven zouden afvoeren, op straffe van ontbinding van de huurovereenkomst. Als onderbouwing stuurde ik talloze schriftelijke klachten mee van omwonenden. En een schitterende fotoreportage van een paar honderd duiven die boven het balkon van de Kruimels op de dakrand zaten te wachten op hun maaltijd.

De kantonrechter bleek tijdens de comparitie van partijen niet erg onder de indruk van het bewijsmateriaal. 'Het verweer van gedaagden dat de duiven zich voeden met etensresten die door buurtbewoners worden achtergelaten, kan niet op voorhand gepasseerd worden. De verhuurder zal met aanvullende informatie moeten komen.'

Medewerkers van mijn cliënte postten vervolgens bij de woning van de Kruimels. Na een paar dagen was het raak. Op video werd vastgelegd hoe wilde duiven in en uit de balkonkast van de familie Kruimel vlogen. Maar nog steeds was de kantonrechter niet overtuigd. 'Het lijkt mij zinvol om een deskundige te bemoeien. Mr. De Mooij, ik neem aan dat u wel een duivendeskundige kent?'

Na enig speurwerk vond ik in het oosten van het land twee specialisten in het gedrag van duiven. De heren werd gevraagd af te reizen naar Den Haag om hun kennis te etaleren.

En zo kon het gebeuren dat op een koude namiddag in december 2007 zich een bont gezelschap verzamelde op het balkonnetje van de familie Kruimel. Naast de kantonrechter en griffier waren de Kruimels, medewerkers van de verhuurder, de raadslieden en niet in de laatste plaats de twee duivendeskundigen van de partij. Aandachtig keken wij naar de balkonkast.

Men zegt wel dat mensen op hun huisdieren gaan lijken. Wellicht geldt dat in een breder verband. De duivendeskundigen waren beiden gekleed in lange grijze jassen, hadden gemillimeterd haar en droegen ronde brilletjes.

De specialisten vatten hun bevindingen samen in een uitgebreid rapport. Niet zozeer de sierduiven zelf, als wel het aan hen verstrekte voedsel had een aantrekkende werking op wilde vogels, was de conclusie. Het betekende het einde van de duivenhobby van Thea en Ralf Kruimel.

Hotel op stelten

'Drie weken geleden heb ik Hotel Verzicht gekocht van een zekere Bert Parel.' Daan van der Bos zuchtte diep. 'Een mooi gebouw, zestig kamers, goed onderhouden. Een prima deal zou je zeggen.' Maar mijn cliënt had de notariële akte nog niet ondertekend, of hij werd al geconfronteerd met een rechtszaak. 'De ouders van Bert Parel hebben een kort geding tegen me aangespannen.' Daan van der Bosch schoof een dagvaarding mijn kant op.

De heer en mevrouw Parel hadden gedurende veertig jaar Hotel Verzicht geëxploiteerd. Mevrouw Parel had achter de hotelbalie gestaan en haar man was verantwoordelijk geweest voor het restaurant. In 2006 was het echtpaar met pensioen gegaan. Zij hadden het hotel verkocht aan hun zoon Bert. Mijn cliënt: 'Die Bert heeft het bedrijf voor een vriendenprijsje overgenomen. Hij heeft vijf ton betaald aan zijn ouders, terwijl het pand alleen al een miljoen waard is.' Vader en moeder Parel hadden wel bedongen dat zij zelf twee hotelkamers zouden kunnen blijven gebruiken. Bert was akkoord gegaan en het bejaarde echtpaar had de kamers betrokken.

'Bert Parel heeft van het bedrijf een organisatorisch zooitje gemaakt', vertelde Van der Bos. 'Hij had het hotelvak duidelijk niet in zijn vingers en zag dat zelf ook wel in. Twee jaar nadat hij Hotel Verzicht had aangeschaft, heeft hij het weer in de verkoop gedaan.' Mijn cliënt had meteen contact opgenomen met Parel. De heren waren snel tot zaken gekomen. 'We hebben het afgemaakt op € 1,2 miljoen. Bert pakte zo toch in een paar jaar een winst van zeven ton.' Maar Bert Parel had nog een klein probleempje moeten oplossen. Hij diende Hotel Verzicht leeg op te leveren. En dat betekende dat zijn ouders moesten vertrekken. Daan van der Bos: 'Achteraf heb ik gehoord dat Bert het niet zo deftig heeft aangepakt. Hij heeft zijn vader en moeder er letterlijk uit geflikkerd. Ze gewoon met hun hele hebben en houden op straat gezet.'

Mijn cliënt had van deze achtergronden niets geweten, maar zat nu wel met de gebakken peren. De heer en mevrouw Parel hadden een advocaat ingeschakeld, mr. Keus. Die had namens zijn cliënten een beroep gedaan op huurbescherming. 'Koop breekt geen huur', stond er in de kortgedingdagvaarding, 'hetgeen impliceert dat de heer Van der Bos de twee hotelkamers beschikbaar moet stellen aan het echtpaar Parel.'

Mijn cliënt voelde daar weinig voor. 'Ik vind het sneu voor die oudjes, maar ik wil die kamers gewoon exploiteren. Anders krijg ik het hotel niet rendabel.'

Het kort geding diende voor de rechter in Den Haag. Op een gure herfstdag verzamelden de partijen zich in het Paleis van Justitie. Mijn cliënt had Bert Parel meegenomen naar de zitting. 'Ik dacht, als er één van de hoed en de rand weet, is het onze Bertus.'

Mr. Keus hield een sterk pleidooi. Er was sprake van een gave huurovereenkomst. Hotel Verzicht was door zijn cliënten ver onder de prijs verkocht aan hun zoon, op voorwaarde dat zij twee hotelkamers tot hun beschikking zouden krijgen. Impliciet hadden zij op die wijze huur betaald. En dus recht op huurbescherming. Namens Van der Bos betoogde ik dat er juist geen sprake was van huur, maar van een bruikleenovereenkomst. Een dergelijke overeenkomst kan gewoon worden beëindigd en dat was hier gebeurd.

De voorzieningenrechter richtte zich tot Bert Parel. 'Meneer Parel, hebt u met uw ouders ooit afspraken gemaakt over huurbetalingen?' Parel stond op en haalde een hand door zijn vette haar. 'Nee Edelachtbare, ze mochten daar van mij voor niets wonen. Uit de goedheid van mijn hart. Voor noppes.' Advocaat mr. Keus liep rood aan. Moeder Parel schudde langzaam haar hoofd, terwijl zij opzij keek naar haar man.

'Ik deel in deze spoedprocedure de mening van gedaagde Van der Bos', hakte de rechter de knoop door. 'Naar mijn voorlopig oordeel is er géén sprake van huur, nu er geen tegenprestatie voor het gebruik van de hotelkamers is overeengekomen. Daar doet niet aan af dat eisers Hotel Verzicht kennelijk voor een laag bedrag aan hun zoon hebben verkocht.'

Na afloop van de zitting reed ik met gemengde gevoelens terug naar mijn kantoor. Het regende hard. In de Theresiastraat zag ik de heer en mevrouw Parel lopen. De fragiele oudjes konden zich nauwelijks staande houden in de vliegende storm.

Een hyena in de vastgoedwereld

Twee maanden geleden zocht ondernemer Mark van Boekel telefonisch contact met mij. 'Ik heb een pand aan het Ungerplein in Rotterdam verkocht aan een zekere mevrouw Kakel. Mijn medewerkers zonden haar een conceptkoopcontract, met het verzoek langs te komen op mijn kantoor, de overeenkomst te ondertekenen en zich te legitimeren.' Mevrouw Kakel had echter niets meer van zich laten horen. Evenmin had zij de overeengekomen bankgarantie gesteld. Cliënt Van Boekel had diverse ingebrekestellingen verzonden, maar opnieuw bleef een reactie van mevrouw Kakel uit. Van Boekel: 'Ik had geen zin in allerlei rechtszaken en heb het pand uiteindelijk een jaar later aan Bouw B.V. verkocht. Vorige week zou er geleverd worden, maar voor het zover was, werd beslag gelegd op het perceel. Door mevrouw Kakel. Zij beroept zich op de eerdere overeenkomst en vordert in een kort geding nakoming!'

Mark van Boekel was in een moeilijk parket terechtgekomen. Door de beslaglegging kon hij het pand aan het Ungerplein niet leveren aan Bouw B.V. Die organisatie liet haar advocaat meteen een boze brief sturen. Verder diende mijn cliënt mevrouw Kakel van zich af te schudden. Een paar dagen voor de behandeling van het door mevrouw Kakel aanhangig gemaakte kort geding kwam Mark langs op mijn kantoor. 'Weet je wie erachter zit? Ik had het kunnen raden. John Dudev! Die mevrouw Kakel is een strovrouw. Dudev wilde het pand destijds meteen doorverkopen, vond geen afnemer en heeft me laten zitten. Toen hij hoorde dat ik het pand aan een ander verkocht had, heeft-ie beslag laten leggen. Om mij vast te zetten.'

John Dudev was een beruchte Rotterdamse huisjesmelker. Gepokt en gemazeld in de vastgoedbranche kende hij alle trucs uit het boekje. Daarbij gesteund door steeds weer andere advocaten. Een van hen, mr. Buigzaam, belde mij. 'Meneer Dudev – ik bedoel mevrouw Kakel – is wel bereid om haar vorderingen in te trekken en het beslag op te heffen, maar dan moet Van Boekel haar € 5000 betalen.' Na ruggespraak met mijn cliënt wees ik het voorstel van de hand.

Mevrouw Kakel kwam samen met John Dudev, een man met wit haar en helblauwe ogen, naar het kort geding. In een lang betoog meldde mr. Buigzaam dat mijn cliënt gehouden was om het pand aan het Ungerplein aan mevrouw Kakel te leveren. Hierbij werd hij gesteund door John Dudev, die een paar keer opsprong en woedend om zich heen keek. Namens Mark van Boekel wees ik erop dat van een rechtsgeldige koopovereenkomst pas sprake is indien de koopovereenkomst door beide partijen is ondertekend. En verder dat mevrouw Kakel geen bankgarantie had gesteld en niets meer van zich had laten horen.

De rechter kende haar pappenheimers. 'Meneer Dudev, het is de zesde keer dat ik u dit jaar in mijn rechtszaal tegenkom. Steeds met vergelijkbare verhalen. Mevrouw Kakel is de volgende katvanger. Haar verhaal klopt feitelijk en juridisch niet. Ik wijs de vorderingen af en hef het beslag op. Goedemiddag.'

Afgelopen maandag voerde ik een intakegesprek met een nieuwe cliënt, Albert Raas. De man vroeg mij een aantal overeenkomsten te vervaardigen en vertelde over zijn werkzaamheden. 'Ik koop al jaren panden, knap de huizen op en verkoop die dan met winst door. Nooit problemen gehad. Maar de laatste tijd lijkt het wel of ik het onheil aantrek.' Albert Raas vertelde dat hij in juni een leeg winkelpand had gekocht. Kort voor de levering had een zekere mevrouw Dreumes zich gemeld. 'Zij vertelde dat zij het pand net gehuurd had van de verkoper. De verkoper beweerde dat hij van niets wist. Hij eiste dat ik het pand afnam. En ik eiste weer dat hij de winkel zonder huurder zou leveren. Wat een gedoe allemaal.' Uiteindelijk hadden Albert Raas en de verkoper uit zakelijke overweging een paar duizend euro aan mevrouw Dreumes beloofd. Zodat ze afstand zou doen van de vermeende huurrechten. 'Het was allemaal vrij duister', vertelde mijn cliënt. 'We moesten het geld overhandigen aan een zekere meneer Dudev. Wel eens van gehoord?'

De puinhopen van meneer Peerenboom

Eveline Krans had als rayonbeheerder van de woningcorporatie Burcht diverse malen getracht een afspraak te maken met huurder Peerenboom, maar op haar brieven volgde geen reactie. Vervolgens was Eveline een paar keer bij de door Peerenboom gehuurde woning in het centrum van Den Haag langsgegaan. Zij trof de man nooit thuis. 'Ik vond dat raar', vertelde Eveline mij een halfjaar geleden op mijn kantoor. 'Peerenboom is 62 jaar en gepensioneerd. Hij zou toch af en toe aanwezig moeten zijn.'

Mijn cliënte was verder op onderzoek uitgegaan. Onder meer had zij het Duinwaterbedrijf en Eneco benaderd. De woning van Peerenboom bleek niet aangesloten op de watervoorziening en er werd geen energie geleverd. In een volgende brief vroeg Eveline de huurder om opheldering. Woonde Peerenboom eigenlijk wel in het huis? En zowaar, een dag later belde de man. Er werd een afspraak gemaakt voor een huisbezoek.

Eveline: 'Ik ben in mijn werk wel wat gewend, maar wat ik in die woning aantrof ging alle perken te buiten. Dozen, vuilniszakken, gore kleren en stapels papieren, het was één grote bende.' Peerenboom had verteld dat hij wel degelijk zelf in het huurhuis woonde. Maar dat hij voor de gezelligheid veel tijd bij zijn bovenbuurvrouw doorbracht.

Ook de dienst Sociale Zaken en Werkgelegenheid was Peerenboom inmiddels op het spoor. Een uitgebreid onderzoek toonde aan dat Peerenboom feitelijk met zijn buurvrouw samenwoonde en om uitkeringstechnische redenen zijn eigen woning aanhield. Woningcorporatie Burcht stelde haar huurder in de gelegenheid om de huurovereenkomst op te zeggen. Peerenboom weigerde, betwistte alle aantijgingen en schakelde advocate mr. Anneke Kwaedvlieg in. In de door Burcht aanhangig gemaakte gerechtelijke procedure voerde de advocate uitgebreid verweer. Het was aan Peerenboom zelf om te bepalen of hij gebruik wilde maken van de diensten van Eneco en het Duinwaterbedrijf. Weliswaar verbleef haar cliënt geregeld bij zijn buurvrouw, maar hij woonde wel degelijk in de door hem gehuurde woning. En die woning was kraakhelder. Als bewijs werden foto's van een keurig gedweilde gang en gestofzuigde woonkamer ingebracht. En een mooi plaatje van Peerenboom aan zijn keukentafel, in kaarslicht met een bord spaghetti.

De kantonrechter bepaalde een comparitie van partijen. 'Meneer Peerenboom, hoe kunt u in een huis leven zonder water, verwarming en elektriciteit?', was zijn eerste vraag. Peerenboom, gekleed in een driedelig pak, reageerde alert. 'Ik drink alleen bronwater, Edelachtbare, en ik was mij met water dat ik opvang in de regenton op mijn balkon. De open haard geeft genoeg warmte en licht heb ik niet nodig. Ik ga vroeg naar bed.'

Mr. Kwaedvlieg voegde toe: 'En de woning van mijn cliënt is opgeruimd en schoon, kijkt u maar naar de foto's.'

De kantonrechter zat met de zaak in zijn maag. 'De verhalen van partijen staan haaks op elkaar. Deze procedure zal zich denk ik nog lang voortslepen. Wellicht is het een idee dat partijen op de gang trachten een regeling te treffen?'

Maar buiten de zittingzaal bleek meteen dat mijn cliënte niets voelde voor een schikking. 'Peerenboom speelt de nette oude meneer, maar hij liegt dat hij barst', vond Eveline Krans.

Samen smeedden wij een plan, dat niet zonder risico was.

Terug in de rechtszaal vroeg Eveline Krans het woord. 'Meneer de rechter, de heer Peerenboom en zijn advocate beweren dat de woning spic en span is. Waarom gaan we dan niet even kijken? Met de auto zijn we er in vijf minuten.' De kantonrechter bleek flexibel. 'Mijn volgende zaak is uitgevallen. Laten we inderdaad maar eens even poolshoogte gaan nemen.'

Een halfuur later stond het hele gezelschap voor de flat van Peerenboom. Toen de deur geopend werd, kwam een geur van verrotting ons tegemoet. In verband met de reusachtige puinhoop was het onmogelijk om gewoon door de woning te lopen. Klimmend baande kantonrechter, griffier, advocaten en hun cliënten zich een weg. Diverse deuren in de woning konden niet open, stapels kleren en vuilnis verhinderden dat. Op enig moment struikelde de kantonrechter over een rondslingerende citruspers en kon zich maar net staande houden. Beteuterd stonden mr. Kwaedvlieg en Peerenboom naast elkaar. 'De zaak is mij inmiddels duidelijk', velde de kantonrechter het vonnis. 'In deze puinhoop kan niemand leven.' Maar Peerenboom was niet een man die gauw opgaf. 'Edelachtbare, luister! Het is een kwestie van een dagje vegen!'

Haagsche Bluf: over hoeden en petten

Mijn mening mag gekleurd zijn, maar ik vind winkelcentrum Haagsche Bluf het mooiste winkelgebied van de stad, zo niet van Nederland. Met de afwisselend klassieke en moderne gevels ademt het plein een echte Haagse sfeer uit. Hoe anders was het vroeger, toen zich op dezelfde locatie de Pasadenha bevond, een overdekte en bedompte passage zonder enige klasse. Mijn oer-Haagse cliënt Bolster had al zijn energie en inventiviteit aangewend om de Pasadenha om te vormen. 'Eerst wilde ik alleen het dak van die grafkist halen, zodat er een beetje licht en lucht in kon. Maar uiteindelijk heb ik het hele zooitje maar platgegooid, anders was het nooit wat geworden.' Bolster had op zich makkelijk praten, hij was eigenaar van vrijwel alle panden in en rond de winkelpassage. Maar dat betekende niet dat hij zomaar zijn gang kon gaan. Zijn idee voor een nieuw super-de-luxe winkelcentrum moest eerst worden goedgekeurd door de gemeente. In de regel een frustrerende route voor een ondernemer met plannen en haast. Bolster: 'Toen ze doorhadden dat ik alles zou betalen en het winkelcentrum ook nog een internationale uitstraling zou krijgen, waren de Haagse ambtenaren voor het eerst snel gewonnen. Ik wist niet wat ik meemaakte.'

Toen de Haagsche Bluf was afgebouwd, verdrongen cameraploegen en schrijvende pers zich rond het winkelplein. Bolster won met zijn architectonische hoogstandje in binnen- en buitenland diverse belangrijke prijzen. Vervolgens meldden zich talloze potentiële huurders: of er nog winkelruimte beschikbaar was. Maar Bolster was selectief in zijn keuze. 'Ik wil alleen topwinkels, bedrijven met naam, goeie merken. Geen gooi- en smijtwerk.' Binnen korte tijd waren vrijwel alle winkels in de Haagsche Bluf verhuurd. Veel grote winkelketens en merknamen waren in het nieuwe winkelgebied neergestreken. En het publiek vond langzaam maar zeker (zoals dat in Den Haag gaat) de weg naar de Haagsche Bluf.

In 2003 vond er een wetswijziging plaats. Het huurrecht werd op diverse fronten aangepast. Problemen van huurders met de door hen gehuurde ruimten werden in de nieuwe wet al gauw beschouwd als een 'gebrek'. En dergelijke gebreken moesten volgens de nieuwe wettelijke regeling door de verhuurder worden verholpen. Voer voor advocaten dus. Want was nu wel een gebrek en wat niet?

De inkt van de nieuwe wet was nog niet droog, of mr. Knol meldde zich namens een aantal huurders van de Haagsche Bluf. 'Mijn cliënten maken minder omzet dan zij verwacht hadden bij aanvang van de huurovereenkomst. Het publiek weet de weg naar onze winkels niet te vinden. Er is dus sprake van een gebrek. En de heer Bolster dient dat te compenseren.'

Maar dat deed de heer Bolster niet, een gerechtelijke procedure volgde. Tijdens een comparitie van partijen zette de deftige Utrechtse advocaat mr. Knol frontaal de aanval in. 'In Den Haag kennen wij het hoeden- en het pettenvolk. En waar het nu om gaat, de hoeden komen wel naar de Haagsche Bluf, maar de petten niet. Bolster had dat beter moeten sturen, hij is op diverse fronten tekortgeschoten.'

Na mijn juridische betoog gaf mijn cliënt in onvervalst Haags zijn visie op de discussie. 'Ik weet niet waar die Knol vandaan komt, maar ik kom uit Den Haag. En van hoeden en petten heb ik nog nooit gehoord. Wel van veengrond en kleigrond, maar daar heeft de eerbiedwaardige Knol het niet over. De huurders die vandaag proberen mij een poot uit te draaien, zijn slechte ondernemers. De rest verdient geld, zij niet. En nou heb ik het gedaan. 'Mijn cliënt haalde diep adem. 'Weet u wat het rare is, meneer de rechter?', ging hij verder. 'Het verhaal andersom hoor ik nooit. Dat ze zeggen, mijn winkeltje draait zo lekker, weet je wat Bolster, ik geef jou de helft van mijn winst ...'

Drie weken later belde ik Bolster met een verheugend bericht, de zaak was goed afgelopen. Maar Bolster was geen man voor complimentjes. 'Weet je wat mij opvalt, De Mooij? Als je wint, bel je me op, maar als je verliest, stuur je een briefje.'

Een trotse pauw in het nauw

De gebroeders Balsemien waren niet jong meer toen zij zich in 2003 tot mij wendden, ik schatte hen tussen de 65 en 70 jaar oud. De heren leken op elkaar, ouderwetse types. Ze droegen alle drie zware hoornen brillen en hadden identieke kapsels: de haren tot hoog boven de oren opgeschoren.

'Wij zijn allen boekhoudkundig onderlegd', begon Harold Balsemien zijn verhaal. 'En dus weten wij als geen ander dat hier iets niet klopt, mr. De Mooij. Onze jongste broer Melchior heeft ons een oor aangenaaid.'

In februari 1998 was de moeder van mijn cliënten overleden. Haar oudste zoon Harold Balsemien werd benoemd tot executeur testamentair, terwijl notaris mr. Tjabel belast werd met de afwikkeling van de erfenis. De jongste zoon Melchior liet al gauw weten dat hij de erfenis verwierp, mijn cliënten aanvaardden de erfenis.

Op enig moment deelde notaris mr. Tjabel mijn cliënten mee dat de nalatenschap na aftrek van kosten een bedrag van € 200.000 omvatte. En dat had voor de nodige onrust gezorgd. 'Mijn moeder was schatrijk, zij had in november 2003 meer dan € 4.000.000 op haar bankrekening staan', vertelde Harold Balsemien. 'Een nauwkeurig boekhoudkundig onderzoek heeft ons geleerd dat in januari 2004 een bedrag van € 3.800.000 is overgeboekt op de bankrekening van onze broer Melchior, registeraccountant te Den Haag. Melchior is een nakomertje. Hij heeft geen hoge pet van ons op.'

Aangezien Melchior Balsemien niet op mijn verzoeken om opheldering reageerde, betrok ik hem in een gerechtelijke procedure en vorderde terugbetaling van € 3.800.000. Kennelijk had de jongste broer een schenking ontvangen en hiervan geen mededeling gedaan aan zijn broers. Er stond veel op het spel voor Melchior. Op grond van artikel 4:1110 BW (oud) kan een erfgenaam die gelden van de nalatenschap heeft 'verborgen', de erfenis niet verwerpen en blijft hij zuiver erfgenaam zonder dat hij 'enig deel in het verborgene mag vorderen'. Zouden de vorderingen van mijn cliënten derhalve worden toegewezen, dan moest Melchior niet alleen alles terugbetalen, maar verloor hij tevens het recht op zijn erfdeel over het bedrag.

Na ontvangst van de dagvaarding schakelde Melchior Balsemien een advocaat in, die een uitvoerige conclusie van antwoord schreef. Moeder Balsemien zou de € 3.800.000 niet hebben geschonken, maar hebben afbetaald. 'Wijlen mevrouw Geertrude Balsemien had voornoemd bedrag namelijk in 1997 van gedaagde ter lening ontvangen.'

De Rechtbank Den Haag gelastte een comparitie, die plaatsvond op een regenachtige dag. Melchior Balsemien liet zich door zijn chauffeur voorrijden. Zonnebankbruin, een kasjmieren jas losjes om de schouders geslagen.

De rechter-commissaris opende de zitting. 'Ik kom meteen ter zake. De heer Melchior Balsemien dient te bewijzen dat hij zijn moeder € 3.800.000 heeft geleend en dat haar betaling gezien moet worden als een inlossing van die schuld. En meneer Balsemien, kunt u dat?' Melchior Balsemien ging staan en knoopte het jasje van zijn driedelige pak dicht. Zijn gouden dasspeld schitterde in het tl-licht. 'Jazeker Edelachtbare, ik kan onder ede verklaren dat mijn moeder het geld van mij heeft geleend. Zo helpe mij God almachtig.'

'Uw enkele verklaring is onvoldoende', antwoordde de rechter-commissaris kort.

Vertwijfeld keek Melchior om zich heen. 'Maar, maar ... ik zeg u toch dat het zo is! Denkt u soms dat ik lieg? Weet u wel wie ik ben?.'

De rechter-commissaris: 'Ook voor u geldt het uitgangspunt: "Eén getuige is géén getuige." Mag ik concluderen dat u geen volledig bewijs kunt leveren? In dat geval zal ik de vorderingen van uw broers toewijzen.'

Melchior Balsemien was weer gaan zitten en knikte, nauwelijks zichtbaar.

De drie andere broers zaten op de achterste rij van de rechtszaal en keken naar buiten. De wolken dreven weg en de zon brak door.

Partijen in een wurggreep

Mevrouw Van Duijvenpoort was een charmante vrouw van zeventig jaar. Haar vriendelijke oogopslag en warme stem maakten dat ik haar meteen sympathiek vond. 'Het is de eerste keer dat ik het kantoor van een advocaat bezoek', vertelde zij mij in de zomer van 2003. 'Vorige maand heb ik mijn huis verkocht aan de heren Roelof en Eugene Slaatje, een homoseksueel echtpaar. Had ik dat maar nooit gedaan.' Mijn cliënte had het grootste deel van haar leven in een rijtjeshuis in Leidschendam gewoond. 'Drie jaar geleden is mijn man overleden. Sindsdien voelde ik mij een vreemde in mijn eigen huis.' Toen in de buurt een vierkamerappartement vrijkwam, had zij niet geaarzeld. Mevrouw Van Duijvenpoort had de woning gekocht en haar eigen pand op de markt gebracht.

'Kort nadat de heren Slaatje mijn huis hadden gekocht, ontving ik een brief van hun advocaat. De kopers hadden ontdekt dat aan de overkant van de woning gebouwd zou gaan worden. Daar waren zij het niet mee eens.' De heren hadden mijn cliënte onder meer van bedrog beschuldigd. Zij moest op de hoogte van de bouwplannen geweest zijn en had hen hierover op voorhand moeten informeren. Nu zij dat had nagelaten, moest de koop in de ogen van de mannen vernietigd worden. Toen mevrouw Van Duijvenpoort had gemeld hiermee niet akkoord te gaan, was een gerechtelijke procedure tegen haar aangespannen. In die procedure wees ik op de eigen verantwoordelijkheid van de heren Slaatje. Zij hadden bij de aankoop maar een gedegen onderzoek moeten doen.

De gerechtelijke procedure nam twee jaren in beslag. De Rechtbank 's-Gravenhage oordeelde uiteindelijk dat er sprake was geweest van dwaling. De koopovereenkomst werd vernietigd. De woning in Leidschendam diende te worden teruggeleverd aan mevrouw Van Duijvenpoort, terwijl de heren Slaatje de koopprijs geretourneerd dienden te krijgen.

Verder moest mijn cliënte de door de kopers geleden schade vergoeden.

Toen mijn cliënte in oktober 2005 de uitspraak hoorde, was zij in tranen uitgebarsten. 'Het is oneerlijk. Ik heb toch niets verkeerd gedaan!' Mevrouw Van Duijvenpoort had een kwetsbare indruk gemaakt. Zij was sterk vermagerd. 'Ik kan niet meer tegen de constante druk van die rechtszaak', had ze mij toevertrouwd, 'maar ik heb ook geen zin om mij gewonnen te geven.' Inmiddels hadden de twee kinderen van mijn cliënte zich in de strijd gemengd. Zoon Boris van Duijvenpoort had een duidelijke mening. 'De twee Slaatjes zijn alleen maar uit op financieel gewin. De heren van de roze fluit proberen mijn moeder een poot uit te draaien.' Na een familieberaad werd besloten om in hoger beroep te gaan. In de tussentijd tastte ik de mogelijkheden van een schikking af. De advocaat van de wederpartijen was gedecideerd. 'Mijn cliënten wensen een schadevergoeding van € 150.000 te ontvangen, en geen cent minder.'

Een jaar later bleek de medische situatie van mevrouw Van Duijvenpoort te zijn verslechterd. Zij had een herseninfarct gehad en kampte met de gevolgen. 'Ik stel voor om de appèlprocedure te staken', zei haar dochter Annabelle. 'Moeder is aan het eind van haar Latijn.' Aldus geschiedde. Het vonnis van de rechtbank werd daarmee definitief.

Toen ik de raadsman van de heren Slaatje meldde dat thans uitvoering moest worden gegeven aan de eerdere uitspraak en zijn cliënten derhalve dienden te ontruimen, volgde een verrassende reactie. 'Mijn cliënten zijn niet van zins te vertrekken. Zij vorderen de woning als schadevergoeding in natura en handhaven overigens hun schadeclaim.'

Boris en Annabelle van Duijvenpoort waren woest. 'Vijf jaar procederen om de koop ongedaan te maken, en dan niet willen verhuizen! Het is een ordinaire centenkwestie. Begin maar een kort geding. De Slaatjes moeten eruit!'

Voorzieningenrechter mevrouw mr. Scherp hoorde de verhalen van de advocaten vorige week hoofdschuddend aan. 'Zie ik het goed, dan houden partijen elkaar in een jarenlange wurggreep.' Eugene Slaatje vroeg het woord. 'Wij wensen deugdelijk gecompenseerd te worden voor onze schade', piepte hij. 'En wij zijn teruggekomen op ons besluit om te verhuizen.' De rechter zorgde voor duidelijkheid. 'Meneer Slaatje, u wilde vernietiging van de koop en die hebt u gekregen. U zult moeten vertrekken.'

Die mededeling plaatste de zaak in het juiste perspectief. Tijdens de schikkingsonderhandelingen op de gang bonden de beide Slaatjes eindelijk in. Of ze in het huis konden blijven als zij hun schadeclaim introkken? Annabelle en Boris Duijvenpoort vonden het best. Hun moeder kreeg eindelijk rust.

Een zaak met een onverwachte wending

Vastgoedondernemer Bolster bezat vijftien aangrenzende panden op een A1-locatie in Den Haag. In de gebouwen waren winkels en woningen gevestigd. In 2002 besloot mijn cliënt om de percelen ingrijpend te renoveren. De huurders van de winkels en woningen werden met forse vergoedingen overgehaald om te verhuizen. Vervolgens gingen de aannemers aan de slag. Een aantal panden werd volledig gesloopt, andere percelen werden gestript en opnieuw opgebouwd. De hele operatie nam anderhalf jaar in beslag. Het resultaat mocht er zijn. De huizenrij vormde een parel in de Haagse binnenstad. Bolster gaf een makelaar opdracht om huurders te zoeken voor de winkels. 'Er meldde zich een Duitse onderneming, Rinkel, die mobiele telefoons verkoopt. Een beursgenoteerde organisatie met winkels in heel Europa', vertelde Bolster mij in augustus 2004. Met Rinkel werd uitvoerig onderhandeld over een huurovereenkomst voor twee aangrenzende winkelpanden. Een Duitse afvaardiging met de directeur van Rinkel kwam tot viermaal toe naar Den Haag. Uiteindelijk werden er afspraken gemaakt over de huurprijs, de inrichting van de te huren winkels en talloze details.

Bolster: 'Ik was blij met deze huurder. Het was een zogenaamde "trekker", een lokkertje voor andere goeie huurders.'

Een week nadat sluitende afspraken waren gemaakt, zond de makelaar van Bolster het huurcontract ter ondertekening naar Duitsland. Een reactie bleef uit, zodat er telefonisch contact gezocht werd. De directeur van Rinkel, de heer Muller, bleek echter onbereikbaar. Diverse schriftelijke sommaties van Bolster aan het adres van Rinkel sorteerden evenmin effect. Rinkel hield zich stil. Nadat ik vervolgens namens Bolster ondertekening van het huurcontract had geëist, volgde een reactie van een 'Rechtsanwalt'. Van een huurovereenkomst was geen sprake, er waren immers geen definitieve afspraken gemaakt? 'Begin maar een kort geding', zei Bolster, 'ik laat me niet piepelen door deze Duitse vrienden.'

Rinkel verscheen met maar liefst vier advocaten, twee Duitse en twee Nederlandse exemplaren. En de hele trukendoos ging open. Er waren nooit sluitende afspraken gemaakt. De heer Muller was niet bevoegd geweest om een huurovereenkomst te sluiten, dat was alleen de heer Völler, voorzitter van de Raad van Bestuur. Bovendien: het Duitse recht was van toepassing en de aan te spreken vennootschap was niet Rinkel Holding B.V. maar haar dochter Rinkel Nederland B.V., enzovoort. Bolster kreeg de pest in. 'Wat een gedraai, gek word je van die glibberige juristen.'

De voorzieningenrechter durfde haar handen niet aan de zaak te branden en wees de vorderingen van Bolster tot nakoming van de huurovereenkomst af. In de volgende bodemprocedure vond een jaar later een herhaling van zetten plaats. 'Tussen partijen was nog geen overeenstemming bereikt over de inrichting van de bovenverdiepingen en over de exacte locatie van de lift', vertelde een volgende advocaat van Rinkel, 'en daarom is er geen sprake van een perfecte overeenkomst.' Ook de bodemrechter stelde Bolster in het ongelijk. Maar eind 2006 vernietigde het gerechtshof deze uitspraak en verwees de zaak naar de kantonrechter. Die schreef – weer een jaar later – een voor Bolster ongunstig tussenvonnis en bepaalde de zoveelste comparitie van partijen.

Tijdens die bijeenkomst maakte naast directeur Muller ook de grote baas van Rinkel, Herr Völler, zijn opwachting in de rechtszaal. Met in zijn kielzog weer een batterij advocaten en adviseurs. De heer Völler had kortgeknipt grijs haar en een snorretje. Door middel van een tolk liet hij weten: 'Ik heb nooit iets van de onderhandelingen in Nederland af geweten, laat staan mijn toestemming gegeven.' Bolster had het helemaal gehad. 'Nee, sie habe es natuurlijk weer nicht gewust', riep hij in half Duits, half Haags, 'je bent een topacteur. Ik zat erbij dat die meneer Muller telefonisch overleg met jou voerde, herr koekebakkert!'

De heren Muller en Völler verschoten beiden van kleur, hetgeen de kantonrechter niet ontging. Het tij keerde, na drie jaar procederen. Met elke vraag van de kantonrechter werkte de Duitse wederpartij zich verder in de nesten. ‘Er dient een compensatie te worden betaald’, besloot de kantonrechter, ‘ik stel voor dat partijen in onderhandeling treden.’

De besprekingen leidden tot een schikking. Bolster kon een zeer forse schadevergoeding tegemoetzien. Hij bleef er koel onder. ‘Het maakt 1974 niet goed, maar we komen een eind in de richting.’

Hovenier in gevecht met bijzondere vrouw

Ron Arbor, de eigenaar van hoveniersbedrijf Arbor B.V., zat tegenover mij. Zijn gezicht was rood aangelopen van woede. 'Ongelofelijk, wat die Geschillencommissie heeft besloten. Ik moet nota bene de hele tuin van Ria Eucalypta opnieuw bewerken. Daar ben ik met vijf man een maand mee bezig!' Ron overhandigde mij een vuistdik dossier. Een jaar geleden was zijn hoveniersbedrijf ingehuurd door mevrouw Ria Eucalypta. Zij had een grote lap grond met opstallen aan de rand van Den Haag in eigendom. 'Die vrouw exploiteerde daar een dierenasiel, maar ze besloot ermee te kappen. Ik moest van het perceel een mooie tuin maken. Met vijvers, een rozentuin en een paar terrassen. We hebben het dus over een perk zo groot als een voetbalveld.'

Ron Arbor had vijftien vrachtauto's met aarde in de tuin van Ria Eucalypta verwerkt. 'Die aarde heb ik besteld bij een gerenommeerd bedrijf in Brabant, voorzien van een schoongrondverklaring.' Maar een paar maanden nadat Ron Arbor de klus had afgerond, meldde zijn klant zich. Ria Eucalypta vond dat het gras onvoldoende groeide, de rozen niet goed opkwamen en de jonge boompjes te klein bleven. Een door mevrouw Eucalypta ingehuurde deskundige had de aarde van het perceel geanalyseerd. Deze zou steentjes en gruis bevatten. 'Als ik slecht werk heb afgeleverd, kom ik daar heus voor uit', vertelde mijn cliënt. 'Maar dit is gewoon een onzinverhaal. De aarde die ik heb gebruikt, is prima.' Een gesprek tussen partijen had tot niets geleid. 'Die mevrouw Eucalypta is een vreselijk zuur wijf. Geen land mee te bezeilen.'

Ria Eucalypta had een klacht ingediend bij de Geschillencommissie. Deze kwam tot de conclusie dat hoveniersbedrijf Arbor B.V. de grond van haar klant moest omspitten en bemesten. Dat zou de vruchtbaarheid ten goede komen. In de betreffende procedure had Ron Arbor zich bij laten staan door een juriste van de overkoepelende belangenorganisatie van hoveniers. Arbor: 'Die mevrouw heeft mij afgeraden om in beroep te gaan. Ik vraag me af of dat een juist advies is geweest.'

Aangezien de juridische mogelijkheden dus beperkt waren, besloot ik te kijken of een minnelijke regeling tot de mogelijkheden behoorde. Ik maakte een afspraak voor een bespreking met mevrouw Eucalypta. Die snerpte door de telefoon: 'U kunt langskomen, maar denk maar niet dat u mij met gladde verhalen kunt ompraten. Ik sta in mijn recht!'

Samen met Ron Arbor reed ik begin april over een lange oprijlaan naar de woning van zijn klant. Toen wij naar haar voordeur liepen, werden wij verwelkomd door circa vijftig rode tuinkabouters die verspreid in de voortuin stonden opgesteld. Ria Eucalypta was een lange, magere vrouw. Rossig haar hing in slierten rond haar benige gezicht. Met grote stappen ging zij ons voor in haar reusachtige achtertuin. 'Kijk, hier is een kale plek in het gras. En ziet u dat rozenperk? Is toch een blamage?!' Ron Arbor liep zich te verbijten. 'Mevrouw Eucalypta, de lente begint binnenkort en u zult zien dat uw gras, planten en bloemen gaan groeien. U moet even geduld hebben.' Dat was tegen het zere been van de vrouw. Woedend wees zij richting onze auto. 'Wegwezen, wij zijn uitgepraat!'

Een dag later had Ria Eucalypta een volgende klacht ingediend bij de Geschillencommissie. Zij eiste dat haar volledige tuin door Arbor B.V. zou worden afgegraven en voorzien van nieuwe aarde. 'Dat betekent een kostenpost van een paar ton. Het einde van mijn bedrijf', zuchtte Ron Arbor. Met haar nieuwe eis had mevrouw Eucalypta echter een juridische opening voor mijn cliënte gecreëerd. Tijdens de zitting bij de Geschillencommissie in augustus 2008 betoogde ik dat van Arbor B.V. niet verwacht kon worden dat zij zich aan de eerdere uitspraak hield. Ron Arbor zou dan immers de grond moeten bewerken en bemesten, die hij misschien later weer zou moeten afgraven. De commissie ging mee in die redenering. Op mijn verzoek werd er vervolgens een 'descente' gehouden in de tuin van de klaagster. De Geschillencommissie begaf zich naar de woning van Ria Eucalypta. Daar hadden zon en regen de voorgaande maanden hun werk gedaan. 'Deze tuin staat er werkelijk schitterend bij', oordeelde de voorzitter. 'Mevrouw, ik begrijp werkelijk uw probleem niet.'

Een uur later reed ik tevreden weg bij de woning van mijn bijzondere wederpartij. In de achteruitkijkspiegel zag ik Ria Eucalypta in haar voortuin staan. Verdwaasd keek de vrouw ons na, omringd door haar vijftig rode tuinkabouters.

Ruzie over een kasteel

De deur van de bespreekkamer zwaaide open en zij stapte binnen. Mevrouw Beerschot, 65 jaar oud, met in haar kielzog haar 34-jarige zoon Baldwin Beerschot. 'Fijn dat je tijd voor mij kon maken, lieverd', begon mevrouw Beerschot haar betoog in deftig Haags. 'Je moet weten, ik woon al 37 jaar met mijn zoon Baldwin – hij wordt BéBé genoemd – in kasteel Vroosteyn, op de rand van Voorburg en Den Haag. Ik huur daar een etage van de familie Druisdael. BéBé is er nog geboren.' Zoon Baldwin bloosde en zei: 'Da's correct.'

'De familie Druisdael heeft het kasteel verkocht aan een of andere projectontwikkelmeneer en ze hebben mij – mind you – de huur opgezegd tegen volgende week zaterdag', vertelde mevrouw Beerschot. 'De ouwe Druisdael, hij is dood, was een goeie kerel, maar die kinderen zijn van een heel ander slag. Slecht volk.'

'U hoeft zich voorlopig geen zorgen te maken, mevrouw Beerschot', onderbrak ik mijn cliënte, 'een verhuurder kan een huurder alleen tot vertrek dwingen indien de rechter in een vonnis de huurovereenkomst heeft ontbonden en de huurder tot ontruiming heeft veroordeeld. Met andere woorden, de familie Druisdael moet u in een gerechtelijke procedure betrekken. De kans dat u die wint, is groot. U hoeft in elk geval niet hals-over-kop te verhuizen.'

'Ik weet het nog zo net niet, schat', reageerde mevrouw Beerschot, 'die mensen zijn dan wel van adel, maar ze trekken zich niets aan van de wet. Twee jaar geleden had de familie een hoogoplopend dispuut met de huurder van het koetshuis dat naast het kasteel ligt. Op een nacht vloog het koetshuis in brand. De huurder heb ik nooit meer gezien ...'

Mevrouw Beerschot en ik spraken af dat ik de familie Druisdael schriftelijk zou melden dat zij en haar zoon Baldwin niet van plan waren om te verhuizen en een beroep deden op huurbescherming. Op die brief volgde geen reactie. Wél viel er een dagvaarding op de deurmat van mijn cliënte. Zij werd opgeroepen om te verschijnen in een door de familie Druisdael aanhangig gemaakte kortgedingprocedure. De familie Druisdael vorderde als spoedvoorziening ontruiming van de door mevrouw Beerschot gehuurde woonruimte. De familie diende het kasteel te leveren aan de projectontwikkelaar. De familie Druisdael had een oudere, voorname advocaat in de arm genomen. Hij hield tijdens het kort geding een lang pleidooi en maakte leuke grapjes. De president zou wel inzien, zo liet hij zelfverzekerd weten, dat de grote financiële belangen van de familie Druisdael hier de doorslag moesten geven. Dat was redelijk en billijk.

De president maakte echter korte metten met het verhaal van de familie Druisdael.

Mevrouw Beerschot deed terecht een beroep op huurbescherming. Zij en haar zoon konden na 37 jaar niet zomaar op straat worden gezet. De vordering tot ontruiming werd afgewezen.

Daags na de uitspraak stonden mevrouw Beerschot en haar zoon bij mij op de stoep. Niet met een fles champagne. Mevrouw Beerschot zag er aangeslagen uit. Haar make-up was doorgelopen en zij had een grote zwarte veeg over haar voorhoofd. Baldwin Beerschot stotterde: 'Ons huis is gisteravond uitgebrand toen wij de overwinning aan het vieren waren in bodega De Posthoorn ...' 'Alles is weg, vernietigd', vulde zijn moeder hem aan, 'de boeken van mijn man, de schilderijen en meubels, mijn foto's ... Het tuig, het tuig.' Mevrouw Beerschot liet haar tranen de vrije loop.

De volgende dag werd in de Haagsche Courant uitgebreid verslag gedaan van de dramatische ontwikkelingen in de zaak rond kasteel Vroosteyn. Ik kreeg een telefoontje van de raadsman van de familie Druisdael.

'De insinuaties zoals vandaag gepubliceerd in de krant zijn schandalig en berokkenen mijn cliënten schade. Zij willen van de affaire af', zei hij. 'Indien uw cliënte afstand doet van haar huurrechten ontvangt zij een vergoeding van € 350.000.'

'Echte Druisdaeltjes, die denken dat voor geld alles te koop is', zei mevrouw Beerschot toen ik het voorstel overbracht. Toch besloten zij te vertrekken. De brand had zijn werk gedaan.

Na enig getouwtrek werd de zaak op een half miljoen afgemaakt. Mevrouw Beerschot stond vervolgens weer op de stoep, nu wél met een fles champagne. Ze vertelde dat zij hadden besloten een appartement in Scheveningen te betrekken. Een paar maanden later zag ik mevrouw Beerschot wandelen op de boulevard. Ik vroeg haar of ze konden aarden in Scheveningen.

'Het is hier heerlijk', straalde zij. 'En Baldwin heeft hier vorige maand een vriendinnetje gevonden, ik ben zó blij.' Fluisterend: 'BéBé is een deugniet hoor.'

Tijd om na te denken

Zestien jaar geleden, in een van mijn eerste gerechtelijke procedures, liet de wederpartij zich vertegenwoordigen door een oudere, gelouterde advocaat: mr. Eduard van Binsbergen. Mr. Van Binsbergen voerde een 'algemene praktijk', hetgeen betekende dat hij thuis was in alle rechtsgebieden. Hij trad op voor particulieren en was 'huisadvocaat' van veel vooraanstaande bedrijven. Mr. Van Binsbergen werkte alleen en had geen secretaresse.

Na een briefwisseling nam mr. Van Binsbergen telefonisch contact met mij op. 'Mr. De Mooij, ik bel even om confraterneel overleg te voeren. U zult met mij de mening zijn toegedaan dat uw cliënt geen juridische poot heeft om op te staan. Wij kunnen verzeild raken in allerhande juridische procedures, maar de zaak ook als heren oplossen. Ik stel voor om te praten.'

Ik nam het aanbod van mr. Van Binsbergen aan en ging bij hem langs. Tot een regeling kwam het echter niet. Onbezonnen ging ik het gevecht aan, om mijn cliënt uiteindelijk een teleurstellend vonnis te overhandigen. Een dag na de uitspraak hing mr. Van Binsbergen aan de lijn. 'U hebt behoorlijk verweer gevoerd. Maar u lijdt aan hubris, jeugdige overmoed. Geen zorgen, dat gaat wel over.'

De jaren verstreken en ik kwam mr. Van Binsbergen regelmatig tegen. Het contact was altijd hartelijk. Op enig moment kruisten wij de degens in een ontslagzaak. Een aantal dagen voor de mondelinge behandeling kreeg ik de beschikking over een voor mijn cliënt gunstige verklaring die ik per telefax verzond aan de kantonrechter en aan mr. Van Binsbergen. Even later belde Eduard van Binsbergen. 'Wij kennen elkaar al een poosje en ik verzoek u vriendelijk doch dringend om mij slechts in gevallen van spoedeisendheid per telefax te benaderen. Ik haat het apparaat, het is een zinloze machine, evenals de computer.' Verbaasd hoorde ik de oude advocaat aan, temeer nu de gebruikelijke cynische ondertoon in zijn stem ontbrak. Ik beloofde om nog slechts per gewone post met hem te corresponderen.

Twee maanden geleden zag ik mr. Van Binsbergen in de advocatenkamer. Hij stond gebogen bij het koffieapparaat en maakte een vermoeide indruk. 'Ah, De Mooij, plezierig u te zien. Het leven van een goedwillende advocaat wordt er niet eenvoudiger op. De wetgever blijft maar wetten wijzigen, en ik moet al die lariekoek tot mij nemen. En verplichte opleidingen volgen. En mijn cliënten op de hoogte houden. En brieven typen. En jurisprudentie bijhouden. Het is geen sinecure.'

Kort na deze ontmoeting vorderde ik namens een onroerendgoedmaatschappij de ontruiming van een flatgebouw. Als advocaat van een bejaarde huurder meldde zich mr. Eduard van Binsbergen. Ik ontving een korte brief van hem, die geschreven was op een typemachine. 'Amice, ik verwacht u donderdag aanstaande om 13.00 uur. Wij drinken dan een glas port.'

Die donderdag maakte ik mijn opwachting in het kantoor van mr. Eduard van Binsbergen. De kamer van de advocaat was een zee van papier. Tussen de honderden dossiers was nog net een bureau te ontwaren, waarop een ouderwetse typemachine stond. Mr. Van Binsbergen volgde mijn blik. 'Ik heb wel een computer, maar ik kan er niet goed mee omgaan. U moet weten, ik ben inmiddels een oude man. En dan die e-mails waarop direct gereageerd moet worden ... Een mens heeft toch tijd nodig om na te denken?' Al pratend verstreken de uren. 'Kom zaterdag even langs, dan bespreken wij die huurzaak', zei mijn confrère aan het eind van de middag. Ik vertelde hem dat ik dan een voetbalwedstrijd moest spelen. 'Het is mijn laatste seizoen, ik kan het niet meer bijbenen. Dan is het verstandig om conclusies te trekken en de eer aan jezelf te houden.'

Er volgde een stilte. Mr. Eduard van Binsbergen keek mij aan, langer dan gebruikelijk. Zijn vriendelijke ogen stonden droef. 'Ik weet het, je hebt gelijk', zei hij met een glimlach en bracht mij naar de deur.

De wraak van De Groene Lotus

Professor doctor Elco Boemelmans keek mij vriendelijk aan over de rand van zijn leesbril. 'In een brandstofcel worden waterstof en zuurstof omgezet in zogenaamde ionen', doceerde hij. 'De OH^-- en H^+-ionen vormen een H_2O-molecuul. Met de opgewekte elektriciteit kunnen elektromotoren worden aangedreven.' Ik maakte aantekeningen. Mijn cliënt probeerde al een halfuur zijn baanbrekende uitvinding uit te leggen. Een auto met een motor die draait op waterstof.

Professor doctor Boemelmans was hoogleraar op een universiteit in het oosten van het land. De bevlogen geleerde had in januari 2004 een bijdrage gevraagd aan het Universiteitenfonds om zijn ideeën rond een waterstofgedreven auto uit te werken. Het fonds had mijn cliënt drie 'experimentele subsidies' verstrekt van in totaal € 600.000. Voorwaarde was wel dat professor doctor Boemelmans binnen drie jaar een breed inzetbare schonebrandstofmotor zou ontwikkelen. 'U moet weten dat ik mij dagelijks na de colleges terugtrok in mijn werkplaats, om daar te werken aan mijn uitvinding', vertelde de hoogleraar. 'Vele honderden uren denkwerk en arbeid hebben geleid tot een uitvinding die de wereld zal veranderen.' Voordat ik kon reageren, verloor mijn geleerde cliënt zich weer in een technisch verhaal over cilinders, nok-assen en kopkleppen.

'Begrijp ik dat de kern van het probleem is dat uw uitvinding niet binnen de gestelde termijn gereed was?', probeerde ik. Met een schok keerde professor doctor Boemelmans terug op aarde. 'Een juiste constatering. Om precies te zijn heeft het titanenwerk veertig maanden in beslag genomen.' De overschrijding van de driejaarstermijn was aanleiding geweest voor het Universiteitsfonds om de aan mijn cliënt verstrekte subsidies integraal terug te vorderen. 'Ze willen de volledige € 600.000 geretourneerd krijgen, te vermeerderen met rente. Terwijl mijn schonebrandstofmotor een feit is, nota bene!'

Bestudering van de correspondentie tussen partijen leerde dat professor doctor Boemelmans in januari 2007 bevestigend had geantwoord op de vraag van het Universiteitsfonds of zijn waterstofmotor inmiddels gerealiseerd was. 'Wellicht een ongelukkige reactie, maar minder relevant', vond mijn cliënt. 'Wat doen die paar maandjes extra ertoe?'

Namens de uitvinder diende ik bij het Universiteitsfonds een uitgebreid bezwaarschrift in. De commissie die op het bezwaar diende te beslissen, bepaalde een mondelinge behandeling op een locatie in Zwolle.

'U kunt met mij meerijden', had mijn cliënt uitgelaten door de telefoon geroepen. 'Dan kunt u meteen het resultaat van mijn inspanningen ervaren.'

Twee maanden geleden was het zover. Op de parkeerplaats voor ons kantoor stond professor doctor Boemelmans naast een Volvo PV544 uit 1958. 'Dit is een zogenaamde "Kattenrug", maar dat hoef ik u natuurlijk niet te vertellen', glunderde hij. 'De eerste auto die op waterstof rijdt! Ik heb mijn kindje "De Groene Lotus" gedoopt.'

Na een geruisloos ritje arriveerden wij in het altijd gezellige Zwolle.

Achter de tafel in de zittingzaal zaten vijf asgrauwe heren en een oudere dame, de commissie van bezwaar van het Universiteitsfonds. 'Dus u hebt gelogen, heer Boemelmans', knarste de voorzitter, ' toen u op 12 januari 2007 schriftelijk aan het Universiteitsfonds meedeelde dat uw werkzaamheden ter zake de waterstofmotor waren afgerond?' Net toen mijn cliënt antwoord wilde geven, werd hij onderbroken door de enige dame in het gezelschap. 'Het verkondigen van onwaarheden weegt zwaar bij deze commissie', sprak zij zuur.

Namens mijn cliënt pleitte ik de blaren op mijn tong. Het experiment van professor doctor Boemelmans was geslaagd. De verstrekte subsidie was goed besteed. De gunstige gevolgen voor de maatschappij evident. Maar mijn woorden stuitten af op een ambtelijke muur van onbegrip. Na twee uur werd de zitting gesloten, een beslissing zou twee weken later volgen.

Gedesillusioneerd reden wij terug in 'De Groene Lotus' van mijn cliënt. Toen wij langs Hilversum kwamen, schoot mijn cliënt iets te binnen. 'Binnenkort doe ik mee aan een televisieprogramma van de Nationale Postcode Loterij. Ik ding met mijn waterstofmotor mee naar een prijs in de sector "natuur".'

Op een vrijdagmiddag veertien dagen later werd de beslissing van de Commissie van Bezwaar door een bode op mijn kantoor bezorgd. De subsidies dienden verhoogd met rente te worden terugbetaald. Ik besloot om mijn cliënt na het weekend op de hoogte te stellen.

Diezelfde avond keek ik televisie en zapte langs de zenders. Plotseling viel mijn oog op een shot van professor doctor Elco Boemelmans. Hij was het stralende middelpunt van de Nationale Postcode Loterijshow. In zijn handen hield mijn cliënt een bord waarop het gewonnen prijzengeld stond genoteerd: € 900.000.

Vijf Bulgaren

Tegenover mij zat Lidwien van Hulst, beleidsmedewerkster van woningcorporatie Corpus. Zij schetste een bekend probleem. Mijn cliënte verhuurde in de Prinsestraat in Den Haag een appartement aan Cornelis Melker tegen een huurprijs van € 600 per maand. Buren en omwonenden hadden de woningcorporatie erop gewezen dat Melker de woning niet zelf bewoonde. In het appartement verbleven vijf Bulgaarse mannen. Die Bulgaren gedroegen zich van maandag tot en met vrijdag keurig. Zij vertrokken 's ochtends vroeg naar hun werk en kwamen 's avonds laat thuis. Lidwien van Hulst: 'Maar in het weekend gaan ze helemaal los. Er wordt gezopen, gefeest en gevochten. En er lopen hooggeblondeerde dames het pand in en uit. De buren worden gek van de overlast.'

Mijn cliënte had de dienst Stedelijke Ontwikkeling van de gemeente Den Haag geïnformeerd. Samen met politie en justitie had de gemeente een controle op het adres aan de Prinsestraat uitgevoerd. Vier van de vijf Bulgaren werden in de woning aangetroffen. In gebrekkig Nederlands hadden zij verteld allemaal een kamer van Cornelis Melker te huren. Zij betaalden hem ieder € 250 per maand. In de woning stonden vijf bedden en er lagen persoonlijke spullen van de mannen: kleding, schoenen en toiletspullen. 'Menier Melker woont ien ander huis, niet hier', had de Bulgaar Emil gezegd.

De ambtenaren hadden hun bevindingen opgetekend in een rapport en dat aan woningcorporatie Corpus toegezonden. Op verzoek van mijn cliënte stuurde ik Cornelis Melker een aangetekende brief. Hij handelde in strijd met wettelijke en contractuele bepalingen door de woning in de Prinsestraat niet zelf te bewonen, maar onder te verhuren aan derden. Ik sommeerde Melker om de huur vrijwillig op te zeggen, anders zou ik hem in een gerechtelijke procedure betrekken. Twee dagen later ontving ik een schriftelijke reactie van de advocaat van Melker, mr. Scheef. 'Mijn cliënt bewoont het appartement in de Prinsestraat tezamen met zijn vriendin en drie kinderen. Van onderverhuur is geen sprake. Sporadisch komen Bulgaarse vrienden van cliënt op bezoek om een kop koffie te drinken, maar dat is – dunkt mij – niet verboden.'

Ik adviseerde Lidwien van Hulst om regelmatig huisbezoeken af te leggen in de Prinsestraat. De eerste keer trof zij niemand aan, maar de keer daarna deed de Bulgaar Emil de deur van het appartement in de Prinsestraat open. Toen Lidwien zich had voorgesteld als medewerker van woningcorporatie Corpus, draaide de man zich om en holde de woning in. 'Ik hoorde veel lawaai en glasgerinkel', vertelde Lidwien. 'Omdat de Bulgaar de deur open had laten staan, kon ik het appartement binnenlopen. De man was verdwenen. Hij was dwars door het raam van de achterkamer naar buiten gesprongen. Vanaf de tweede etage! Een beetje overdreven ...'

Ik startte een gerechtelijke procedure en beschreef in de dagvaarding de gebeurtenissen. Mr. Scheef ontkende in zijn schriftelijke verweer opnieuw dat zijn cliënt Melker de woning in de Prinsestraat onderverhuurde. Er was sprake van een groot misverstand. De kantonrechter bepaalde een comparitie van partijen. Cornelis Melker verscheen samen met zijn vriendin, een roodharige vrouw met een enorme wrat op haar wang. Op vragen van de kantonrechter antwoordde hij gedecideerd: 'De ambtenaren zijn bij mij langs geweest toen er vier vrienden op bezoek waren. Die hebben niets van alle vragen begrepen en maar wat gezegd. En mevrouw Lidwien van Hulst heeft een mooi verhaal verzonnen over een Bulgaar die uit het raam is gesprongen. Heel spannend allemaal, maar volstrekte onzin.'

De kantonrechter dacht er het zijne van. 'Mijnheer Melker, u wordt toegelaten tot het leveren van tegenbewijs. Met andere woorden: u moet bewijzen dat de betreffende Bulgaren niet van u onderhuren.'

Twee weken later verschenen er vijf Bulgaarse getuigen in de rechtszaal. De heren waren ongetwijfeld goed geïnstrueerd door Melker en zijn advocaat. Maar een juridisch balletje kan raar rollen. Op de vraag van de kantonrechter of hij huur had betaald aan Melker, antwoordde een van de getuigen: 'Niet aan menier Melker betalen, nee ...' De nerveuze man wilde de lange stilte die volgde doorbreken. 'Iek heb betaal aan vrouw met pukkeltje.' Getuige Emil maakte hinkend zijn opwachting. 'U bent lelijk geblesseerd aan uw been', merkte de kantonrechter op. Emil had zijn antwoord gelukkig klaar. 'Ja, maar iek ben niet uit raam gespring.'

Op zoek naar vader

'Mijn vader is eigenaar van drie discotheken en zeven restaurants. Verder heeft hij een nachtclub in Marbella.' De gezette man die tegenover mij zat, was halverwege de veertig. Zijn sluike zwarte haar droeg hij in een paardenstaart. Johan Pirelo had een opvallend grote neus. 'U zult me misschien niet geloven, maar vorig jaar voelde ik opeens de behoefte om mijn vader, Diego da Silva, te leren kennen. Al had ik de man nog nooit gezien of gesproken. Ik heb hem via internet getraceerd.' Mijn cliënt had telefonisch contact gezocht met zijn verwekker, maar die had niet erg enthousiast gereageerd. 'Hij wil me niet ontmoeten en niets met me te maken hebben', vertelde Johan Pirelo mij geëmotioneerd.

Ik wees mijn cliënt op de juridische mogelijkheden. Hij kon de rechter verzoeken vast te stellen dat Diego da Silva zijn juridische vader was. Pirelo vroeg mij actie te ondernemen. Op een door mij gezonden briefje reageerde de heer Da Silva echter als door een adder gebeten. In een handgeschreven reactie meldde hij: 'Ik weet niet wat voor nepadvocaat jij bent, maar ik ben niet de vader van die knul en dat ga ik niet worden ook.'

Namens Johan Pirelo maakte ik een gerechtelijke procedure aanhangig. In het kader van de vaststelling vaderschap verzocht ik de rechter om een DNA-onderzoek te bevelen. Advocaat mr. Kriechel schreef een uitgebreid verweer ten behoeve van Diego da Silva. Er zou geen enkel bewijs voorhanden zijn dat zijn cliënt de vader van Johan Pirelo was. 'Om die reden is een DNA-onderzoek ook niet opportuun. Het zou een onrechtmatige inmenging in het privéleven van cliënt betekenen.'

De rechtbank ging een eind mee in die redenering. Mijn cliënt werd opgedragen om aannemelijk te maken dat Da Silva zijn vader was. 'Een eitje', was de reactie van Pirelo, 'ik laat mijn moeder en tante hun verhaal vertellen.'

Eind vorig jaar verschenen beide dames als getuigen voor de rechter. Moeder Carla Pirelo was een geblondeerde vrouw van 64 jaar. Zij was niet verlegen. 'Ik heb het van 1964 tot en met 1968 drie keer per week gedaan met Diego da Silva. Tot genoegen, Edelachtbare.' De rechter: 'En uit die relatie is Johan Pirelo geboren, mevrouw?' Carla Pirelo knikte. 'Ja, en dat is te zien ook. Hij lijkt een beetje op die glibber.' Om haar betoog kracht bij te zetten overhandigde moeder Pirelo de rechter een aantal oude liefdesbrieven van de hand van Da Silva. De zus van Carla Pirelo bevestigde onder ede het hele verhaal. 'Ik ken u details vertellen, want mijn kamer was naast die van mijn zus.'

De rechtbank gelastte twee maanden later een comparitie van partijen. Johan Pirelo was zenuwachtig voor de zitting. Voor het eerst zou hij oog in oog met zijn vader staan. Diego da Silva maakte zijn opwachting. De gelijkenis tussen de heren was opvallend. Ook Da Silva was een zware man, met lang zwart haar. En een opvallend grote neus.

Dit ontging de rechter uiteraard niet. 'Meneer Da Silva, ik zie de nodige uiterlijke overeenkomsten tussen u en de heer Pirelo', begon hij. Advocaat mr. Kriechel sprong op. 'Er zijn duizenden, zo niet honderduizenden dikke mannen met lang haar en een grote neus. Dat zegt niets!' De rechter bleef koel. 'Toch wel iets. Samen met de verklaringen van de dames Pirelo en de overhandigde liefdesbrieven voldoende om een DNA-onderzoek te bevelen.'

Diego da Silva mengde zich in de strijd. 'Daaraan zal ik niet meewerken', zei hij met een hoge, hese stem. 'Die jongen is alleen uit op mijn erfenis. Dat kan een kind toch zien?'

In maart 2008 nam de rechtbank een beslissing. 'Nu gedaagde weigert medewerking te verlenen aan een DNA-onderzoek zal de rechtbank hieraan de conclusie verbinden die haar geraden voorkomt.' De vorderingen van Johan Pirelo werden toegewezen. Hij had nu een juridische vader: Diego da Silva.

Enige tijd later voerde ik een afrondende bespreking met mijn cliënt. 'U raadt nooit met wie ik vorige week heb gegeten', vertelde hij. 'Met mijn vader! Het was erg gezellig.' Tevreden vervolgde Pirelo:

‘Hij heeft mij wel geadviseerd de uitkomst van de rechtszaak niet aan de grote klok te hangen.’ Ik keek mijn cliënt vragend aan. ‘Er schijnen in Zuid-Spanje nog drie andere mannen met verdacht grote neuzen rond te lopen.’

Roulette in de rechtszaal

Onze bibliotheek puilt uit. Wetboeken, klappers met jurisprudentie, handboeken. Tel daarbij op de talloze cd-roms met juridische informatie waarover onze advocaten beschikken. Al deze gegevens worden ten behoeve van cliënten gebruikt in gerechtelijke procedures. Maar rechtspreken is mensenwerk. Juridische argumenten zijn niet altijd doorslaggevend. De afgelopen weken woonde ik met cliënt Bartels, een vastgoedbelegger, vier zittingen bij.

In de eerste zaak vorderde Bartels ontruiming van een winkelpand in een chique Haagse winkelstraat. Mevrouw Bernadette Freule exploiteerde sinds dertig jaar een meubelzaak op die locatie. Het economische tij speelde haar parten. Zij had een huurschuld opgebouwd van drie maanden. Kantonrechter mr. Uilenberg hoorde mijn betoog aan. Een huurschuld van deze omvang rechtvaardigde volgens vaste rechtspraak ontbinding van de huurovereenkomst. Het was triest, maar de huurster moest vertrekken.

De advocaat van mevrouw Freule reageerde fel. 'Mijn bejaarde cliënte heeft in al die jaren zelden of nooit te laat betaald. De huurschuld wordt op zich niet betwist, maar is zeer beperkt. Mevrouw Freule kan de totale achterstand binnen een paar weken wegwerken. Bij een ontruiming wordt haar levenswerk verwoest.'

Kantonrechter mr. Uilenberg nam na de pleidooien van de raadslieden de bril van zijn spitse neus en poetste de glazen met de mouw van zijn toga. 'Mevrouw Freule', zei hij na enige tijd, 'ik volg de geldende jurisprudentie. U zult uw winkel moeten ontruimen. Let wel, uw persoonlijke situatie heb ik zeker meegewogen in mijn oordeel.'

Twee dagen later bepleitte ik opnieuw de ontruiming van een bedrijfsruimte, ditmaal van discotheek Heaven aan de rand van Den Haag. De eigenaar had een huurschuld van € 70.000 laten ontstaan, een bedrag dat correspondeerde met zeven maanden huur. De zaak diende in kort geding. Namens Bartels wees ik op de hoogte van de achterstand. Niet alleen was deze fors, maar bovendien betaalde de exploitant van Heaven structureel slecht. De afgelopen jaren had hij de huurpenningen nooit tijdig voldaan. De uitbater van Heaven, Rodney Burger, was zonder advocaat verschenen. Hij maakte een ontspannen indruk. 'Edelachtbare! Meneer Bartels kan niet alleen zwemmen in het geld, maar hij moet uitkijken dat-ie er niet in verdrinkt.' Glimlachend keek Rodney Burger om zich heen. Als een volleerd acteur schakelde hij vervolgens over op de emotie. 'Ik werk dag en nacht om mijn familie te onderhouden. Heus, die centjes komen er wel. Over een paar weken. Dat beloof ik.' Drie dagen later volgde een vonnis. De vorderingen van Bartels werden afgewezen. De vereiste spoed werd niet aanwezig geacht.

De vijftigjarige huurder K. Koetsier had in een appartement van mijn cliënt drie kamers omgebouwd tot hennepkwekerij. De politie had hem op een ludieke manier betrapt. Na een sneeuwstorm was tijdens een helikoptervlucht over de stad geconstateerd dat op de daken van de buren van Koetsier sneeuw lag, maar op zijn dak niet. Dat duidde in de regel op warmtelampen, die gebruikt worden voor hennepteelt. Een inval bewees de effectiviteit van deze onderzoeksmethode. Tijdens de opvolgende rechtszaak voerde de advocaat van de huurder een even bekend als kansloos verweer. Koetsier was tot inkeer gekomen. De schade was door hem verholpen. Geen reden dus om de huurovereenkomst te ontbinden. Kantonrechter mr. Uilenberg was opnieuw gedecideerd. 'Een toerekenbare tekortkoming kan niet ongedaan worden gemaakt, dat heeft de Hoge Raad meermalen bepaald. Meneer Koetsier, u moet op zoek naar een andere woning.'

Maar de kantonrechter had in zijn vonnis van een dag later minder boodschap aan de Hoge Raad. Mevrouw Pimpel huurde een woning van Bartels in de wijk Bohemen. Haar inwonende vriend had een door mijn cliënt ingeschakelde aannemer het ziekenhuis ingeslagen. De aannemer had om acht uur 's ochtends bij mevrouw Pimpel aangebeld om reparatiewerkzaamheden te verrichten. Kennelijk te vroeg naar de zin van haar partner, die meteen had uitgehaald. Diezelfde partner handelde vanuit de flat in harddrugs. Diverse politierapporten maakten hiervan melding. Namens Bartels vorderde ik ook hier ontruiming. 'Op zich rechtvaardigen de gedragingen van de partner van mevrouw Pimpel de ontbinding van de huurovereenkomst', las ik in het eindvonnis van mr. Uilenberg. 'Maar aangezien laatstgenoemde momenteel in de gevangenis verblijft, worden de vorderingen bij gebrek aan belang afgewezen.'

'Maar die rechter zei laatst dat een toerekenbare tekortkoming niet ongedaan kan worden gemaakt', brieste Bartels toen ik hem belde met het slechte nieuws. 'Ben ik nou gek? We moeten in hoger beroep!' Ik was het met mijn cliënt eens. Advocaten hebben geen last van de kredietcrisis.

Geen wereld voor aardige mensen

Joost Hinkman en Karel van Hout waren mannen van middelbare leeftijd en meer dan vijftien jaar zakenpartners. Zij opereerden als projectontwikkelaars in Nederland en Duitsland. Beide heren waren gepokt en gemazeld in hun vak en al jarenlang 'binnen'. Hinkman had zes vakantiehuizen, netjes verdeeld over Zuid-Europa en Azië. Zijn compagnon Karel van Hout vertoefde een groot deel van het jaar op zijn zeewaardige zeiljacht. Maar tussen de vakanties door deden de ontwikkelaars lucratieve zaken.

Ik had Hinkman een aantal malen ontmoet op vastgoedbijeenkomsten. Een magere man met een pokdalig gezicht en dun, achterovergekamd haar. Hinkman was een vrijgezel met weinig vrienden. Toen ik hem ruim twee jaar geleden begroette in de hal van mijn kantoor schrok ik. Hinkman zat in een rolstoel en zijn mond hing scheef. 'Herseninfarct', zei hij schor. Het onheil was hem twee weken eerder overkomen. 'Maar de zaken gaan door', vertelde mijn cliënt. 'Ik moet snel een stokje steken voor de plannen van Van Hout, anders is het te laat.'

Hinkman en Van Hout hadden eerder lucht gekregen van het voornemen van een gemeente in Zuid-Holland om landbouwgrond op te kopen en om te vormen tot bedrijfsterreinen. De projectontwikkelaars waren de gemeente een stap voor geweest. Zij hadden de eigenaren van de betreffende boerderijen benaderd en de meesten overgehaald hun landerijen aan hen te verkopen. Vervolgens hadden Hinkman en Van Hout de percelen land voor een aanzienlijke meerprijs aangeboden aan de gemeente. 'De gemeente wilde eerst over ons aanbod nadenken', vertelde Hinkman, 'en daarom moest er door ons worden voorgefinancierd. Wij hadden namelijk contractueel toegezegd om de grond van de boeren op 1 februari 2005 af te nemen. Al met al moesten Van Hout en ik op die datum € 20 miljoen ophoesten.'

Op zich was het voor de projectontwikkelaars geen probleem om dat bedrag uit eigen middelen te voldoen. Hinkman: 'Van Hout en ik spraken af dat wij ieder de helft op tafel zouden leggen. In vergelijkbare gevallen hadden wij dat ook zo gedaan.' Maar op 20 januari 2005 was Hinkman getroffen door een herseninfarct en opgenomen in het toenmalige Leyenburg ziekenhuis. 'De rechterkant van mijn lijf was verlamd en ik kon niet praten. Toen heeft Van Hout toegeslagen.'

Nadat Van Hout vernomen had dat Hinkman in het ziekenhuis lag, had hij een sommatiebrief naar het huisadres van Hinkman gezonden. Hinkman diende binnen twee dagen € 10 miljoen over te maken, anders zou Van Hout de relatie met hem verbreken en het project zelf afwikkelen. Mijn cliënt had uiteraard geen kennis kunnen nemen van de sommatie, laat staan eraan kunnen voldoen. Vervolgens had Van Hout zijn eigen koers gevaren en de landerijen van de boeren afgenomen.

'Ik wil dat je beslag legt op al die percelen grond', had Hinkman mij vervolgens geïnstrueerd, 'zodat Van Hout niet kan doorverkopen aan de gemeente. Dan hebben wij hem klem.'

De beslagen waren gauw genoeg gelegd. Maar Van Hout liet het er niet bij zitten en vroeg in kort geding om opheffing. De behandelend voorzieningenrechter van de Rechtbank Rotterdam was mr. Kajuit. Ik vertelde hem dat mijn cliënt er door Van Hout – die de winst uit het project alleen wilde opstrijken – was ingeluisd. Ter verzekering van de corresponderende vordering waren de beslagen gerechtvaardigd.

Voorzieningenrechter mr. Kajuit hoorde het verhaal aan en richtte het woord toen tot Hinkman, die in zijn rolstoel naast mij zat. 'Heer Hinkman, bent u bekend met de uitdrukking "boter bij de vis"?' Hinkman knikte. 'Welnu, indien u meedoet aan dit grotemensenspel moet u tijdig betalen. Laat u dat na, dan moet u niet achteraf lopen jammeren. Kort en wel: ik hef de beslagen op. Goedemiddag!'

'Dit is onrecht. We gaan door tot de Hoge Raad', stotterde mijn cliënt na afloop. En dat zou ook gebeuren.

Twee maanden na het kort geding bezocht Hinkman mijn kantoor met een nieuwe zaak. Zijn fysieke conditie was verbeterd. Hij liep met een stok, de scheve mond was verdwenen. 'Een zekere familie Kalle heeft een woonhuis aan mij verkocht, maar kan niet leeg opleveren. Vader Kalle schijnt terminaal te zijn en ligt in het ziekenhuis. Volgende maand heeft de familie een vervangende woning, maar zo lang wil ik niet wachten. Span maar een kort geding aan.' Ongelovig keek ik mijn cliënt aan. Die nam rustig een slok van zijn koffie. Hij was zich van geen kwaad bewust.

Loverboy en een verliefde huurster

'Ik was eerlijk gezegd blij dat ik van die mevrouw af was', vertelde Rinus Bolster mij op een koude dag in december 2008. Mijn cliënt was onder meer eigenaar van een appartementencomplex in het centrum van Den Haag. 'Omwonenden klaagden al maandenlang steen en been over Anouk Peters. Altijd dronken, harde muziek, veel nachtelijk bezoek.' Die buren hadden van Bolster geëist dat hij maatregelen zou nemen tegen de wilde portiekbewoonster. Hij diende als verhuurder immers aan alle huurders het 'rustig huurgenot' te verschaffen. Maar het lot was mijn cliënt gunstig gezind geweest. Eind oktober 2008 had Anouk Peters de huur zelf schriftelijk opgezegd. Bolster overhandigde mij een smoezelig briefje met een handgeschreven tekstje. 'Ik gaat bij Moessie wonen. Op 1 december, dus dan betaal ik niet meer. Anouk Peters', las ik.

Eind november had de huurster inderdaad haar biezen gepakt en was met onbekende bestemming vertrokken. Daarvoor had Bolster het huis nog geïnspecteerd. 'Mevrouw Peters was erbij aanwezig. De woning was volledig uitgewoond. Ik heb er maar niets van gezegd en de borgsom cash aan haar overhandigd. Zij heeft mij de huissleutel teruggegeven.'

Twee weken later kreeg Bolster een telefoontje van een andere huurder in het appartementencomplex. Anouk had haar intrek weer genomen in haar voormalige woning. Bolster: 'Kennelijk had ze nog een kopie van de sleutel. Anouk Peters heeft de woning weer volledig ingericht en doet alsof er niets aan de hand is. Inmiddels heeft ze ook de huur over de maand december 2008 aan mij overgemaakt.' Bolster had zijn voormalige huurster in een brief gesommeerd om te vertrekken. Een reactie was uitgebleven. 'Inmiddels stromen de klachten weer binnen', vertelde mijn cliënt. 'Anouk Peters ontvangt 's nachts tegen betaling heren in haar appartement. Dat bezoek zorgt opnieuw voor overlast. Ik wil dat je deze dame aanpakt.'

Namens Bolster begon ik een gerechtelijke procedure tegen Anouk Peters en vorderde ontruiming van de woning. Eerste argument was dat mevrouw Peters de huur eerder zelf had opgezegd. Zij verbleef dus nu 'zonder recht of titel' in het appartement. Verder veroorzaakte de bewoonster overlast en gebruikte de flat bedrijfsmatig. Dat was in strijd met de wet en bepalingen uit het oorspronkelijke huurcontract. Nadat de dagvaarding aan het adres van Anouk Peters was betekend, meldde mr. Sneu zich. In een e-mail schreef hij: 'Ik treed op als advocaat van mejuffrouw Peters. Zij is het slachtoffer geworden van loverboy Mustafa Alaoui. Niet alleen heeft deze man haar tot prostitutie gedwongen, maar bovendien is mijn cliënte in zijn romantische val getrapt. Zij is smoorverliefd op hem geworden.' Met omhaal van woorden betoogde mijn beroepsgenoot vervolgens dat de huuropzegging ongeldig was. 'Verblind door de liefde heeft cliënte de huurovereenkomst opgezegd, om in te trekken bij voornoemde loverboy. De opzegging is dus tot stand gekomen ten tijde van een geestesstoornis en wordt bij dezen vernietigd.'

Nadat mr. Sneu de standpunten van Anouk Peters nog eens uitvoerig had uitgesponnen in een conclusie van antwoord, bepaalde de rechter een comparitie van partijen. De voorstelling die ik mij van Anouk Peters had gemaakt, klopte met de realiteit. Een zwaar opgemaakt meisje, met uitgegroeid blond haar en een verwilderde blik. Mr. Sneu stond naast haar. Zijn vale toga spande zich rond een enorme buik. Toen de bode partijen uitnodigde om de zittingzaal binnen te gaan, blies mr. Sneu zich als een kikker op en betrad het strijdperk.

'Liefde', bulderde mijn tegenpleiter toen hij het woord kreeg, 'liefde doet rare dingen met een mens.' Net toen hij een hap lucht nam om zijn verhaal te vervolgen, interrumpeerde de rechter hem. 'Maar niet zo raar dat een mens niet meer verantwoordelijk is voor zijn daden. Het zou wat worden, meneer Sneu, als elke rechtshandeling vernietigd zou kunnen worden met een beroep op de liefde.' Mr. Sneu ademde uit en boog zich over zijn papieren. 'Mevrouw Peters', vervolgde de rechter. 'Waarom hebt u na een week de woning van Mustafa Alaoui al weer verlaten?' Het jonge meisje schraapte nerveus haar keel. 'Moessie heb me na een week zijn huis uitgezet. Hij wil z'n eige namelijk nog niet binden, meneer.'

Na de zitting dronk ik in de hal van het Paleis van Justitie een kop koffie met Bolster. Wij zagen Anouk Peters langskomen en een iele, donkere jongen omhelzen. Hand in hand liepen zij richting uitgang.

Schimmig spel rond een erfenis

'Tante Els was eerlijk gezegd een beetje een rare druif, maar ik was dol op haar.' Mijn cliënte Karin Pieckaert veegde een bruine lok uit haar gezicht. 'En nu is zij dood. Ik heb niet eens afscheid van haar kunnen nemen.'

Mijn cliënte had jarenlang voor haar bejaarde tante gezorgd. De oude vrouw had een slechte gezondheid gehad. Karin Pieckaert deed haar boodschappen en kookte voor haar. Verder had zij de financiën voor haar tante geregeld. 'Tante takelde steeds verder af. Ook geestelijk. Op een gegeven moment heb ik haar ingeschreven bij verzorgingshuis Hades, waar zij kort daarna geplaatst werd.' Mijn cliënte had haar tante ook in het verzorgingshuis dagelijks bezocht. Maar met haar afnemende geestelijke vermogens was ook de houding van tante Els richting haar nichtje veranderd. Karin Pieckaert: 'Zij deed afstandelijk. Ik begreep er niets van. Alsof ik haar iets had aangedaan.' Twee maanden nadat zij was verhuisd naar Hades, ontving mijn cliënte een aangetekende brief van de directie. Intern onderzoek had uitgewezen dat Karin 'frauduleuze handelingen had gepleegd met de financiële boekhouding van mevrouw Els Kuycken'. Hades had aangifte bij justitie gedaan. Verder werd mijn cliënte door de directie van Hades verboden om haar tante nog langer te bezoeken.

Justitie deed onderzoek naar de vermeende fraude, maar vond hiervoor geen enkele aanwijzing. 'Drie weken geleden lag er een anoniem briefje op mijn deurmat', vertelde mijn cliënte. 'Mijn tante was overleden, stond er geschreven. Ik moest mij melden bij notaris mr. Snuit.' Maar mr. Snuit was niet erg mededeelzaam geweest. Hij kon Karin alleen vertellen dat zij een maand eerder uit het testament van haar tante was geschrapt. Het vermogen van Els Kuycken was geërfd door een derde, maar notaris mr. Snuit weigerde de naam van die persoon prijs te geven. Mijn cliënte was gedecideerd. 'Ik wil dat u ingrijpt, de onderste steen moet boven.' Maar ook nadat ik mr. Snuit namens mijn cliënte tot openheid had gesommeerd, bleef hij zich in stilzwijgen hullen. Namens Karin Pieckaert startte ik een kort geding tegen de notaris.

De voorzieningenrechter had weinig begrip voor de houding van de notaris. 'Waarom geeft u die naam niet vrij? Eiseres is familie van de overledene en tot voor kort kennelijk haar enige erfgenaam.' Mr. Snuit murmelde iets over zijn beroepsgeheim, maar bezweek uiteindelijk onder de druk van de rechter. 'Mevrouw Els Kuycken heeft haar vermogen van € 800.000 nagelaten aan de heer Ruben Mol middels een testament dat een week voor haar dood door mij is verleden.'

Gewapend met deze nieuwe informatie schakelde ik een recherchebureau in. Al snel werd Ruben Mol getraceerd. Hij bleek als vrijwilliger werkzaam te zijn in verzorgingshuis Hades. 'We hebben de dader', jubelde mijn cliënte. Maar ik moest haar afremmen. 'Bewezen moet worden dat jouw tante het testament heeft laten wijzigen terwijl zij leed aan een geestesstoornis', hield ik haar voor. De huisarts van de overledene weigerde iedere medewerking met een beroep op zijn geheimhoudingsplicht. Ik besloot de directie van Hades om nadere informatie te vragen. De reactie was kort en duidelijk. 'Omwille van de privacy van onze bewoners verstrekken wij geen gegevens aan derden.'

Op grond van de Wet klachtrecht cliënten zorgsector diende ik een klacht in tegen het verzorgingshuis. Inzet was voornamelijk om meer gegevens boven tafel te krijgen. De behandeling voor de Klachtencommissie vond een maand geleden plaats. 'Een aan Hades verbonden vrijwilliger is er met de erfenis van mevrouw Kuycken vandoor', betoogde ik. 'Kort voor haar overlijden is deze vrijwilliger als begunstigde aangewezen door mevrouw Kuycken, terwijl iedereen wist dat zij ziek en verward was. Hades heeft haar zorgplicht veronachtzaamd.'

Op last van de Klachtencommissie werd door Hades het dossier van mevrouw Kuycken ingebracht. De inhoud was ontluisterend. Kort voor haar dood was tante Els met een longontsteking opgenomen in het ziekenhuis. Zij kreeg daar vervolgens te kampen met een delirium. Juist in die periode was het testament van de vrouw aangepast door notaris mr. Snuit. Enige begunstigde werd de heer Ruben Mol, een vrijwilliger die sinds kort de financiën en administratie van mevrouw Kuycken verzorgde.

Deze nieuwe informatie vormde de basis voor een rechtszaak tegen Ruben Mol. Vorige week werd beslag gelegd op zijn woning in Blaricum. De Klachtencommissie deed inmiddels uitspraak. De klacht tegen Hades werd afgewezen. 'Niet gebleken is van enig onzorgvuldig handelen van voornoemd verzorgingshuis jegens mevrouw E. Kuycken en/of haar nabestaanden.'

Rechter eist schikking

Martin Brugman had in twintig jaar tijd een miljoenenbedrijf opgebouwd. Ook in economisch mindere tijden had Brugman Bouw B.V. voldoende werk. 'Kwaliteit verloochent zich namelijk niet', sprak Martin Brugman filosofisch tijdens een bespreking in januari 2005. Het bouwbedrijf had driehonderd man op de loonlijst staan. Brugman: 'Onze selectieprocedures zijn streng. Ik heb zelden of nooit problemen met mijn personeel. Met Jef Knoester lag het anders. Ik moest wel ingrijpen.'

Jef Knoester was voorman bij Brugman Bouw B.V. en te werk gesteld in Rotterdam. 'Stelselmatig verdween er bouwmateriaal', vertelde mijn cliënt. 'Tegels, zand, stenen maar ook gereedschap en twee betonmolens. Ik had een vermoeden dat het een interne kwestie was, en liet een beveiligingsbedrijf een paar camera's ophangen. Nog geen week nadat de camera's waren geïnstalleerd, kreeg ik een telefoontje van het beveiligingsbedrijf. Ik ging langs en bekeek een tape waarop te zien was dat Jef Knoester op een avond diverse materialen in zijn bus laadde en wegreed. Die spullen waren een dag later door Jef als gestolen opgegeven.'

Martin Brugman had zijn werknemer ter verantwoording geroepen en dat gesprek was volledig geëscaleerd. 'In het bijzijn van twee bedrijfsleiders heeft Jef mij bij mijn keel gegrepen en mij twee vuistslagen gegeven. Ik heb hem op staande voet ontslagen.'

Twee dagen na het incident had Martin Brugman een brief ontvangen van de advocaat van Knoester. Het ontslag op staande voet zou niet rechtsgeldig zijn. De raadsman kondigde een gerechtelijke procedure aan waarin tewerkstelling en doorbetaling van loon gevorderd zouden worden. Aangezien mijn cliënt in zijn recht stond en zijn stellingen kon bewijzen, stelde ik hem gerust. 'Dit is een schoolvoorbeeld van een terecht ontslag op staande voet. Kan niet fout lopen. Voor de zekerheid begin ik ook een ontbindingsprocedure.'

Met de invoering van het nieuwe procesrecht monden de meeste gerechtelijke procedures uit in een comparitie van partijen, een bijeenkomst bij de rechter. Tijdens een dergelijk samenzijn vergaart de rechter informatie, maar belangrijker nog: hij probeert partijen tot een schikking te bewegen. Met een schikking neemt immers bij de rechtbank de werkdruk af, en die is fors. Voor sommige rechters is het een prestigezaak om zo veel mogelijk procedures 'te schikken'.

Kantonrechter mr. Polder van de Rechtbank Rotterdam verwelkomde partijen en hun raadslieden. Handenwrijvend en met de gebruikelijke prietpraat creëerde mr. Polder een Douwe Egberts-sfeertje. 'Heren, wij kunnen natuurlijk nog jaren procederen en enorme kosten maken, maar ook voor een praktische oplossing kiezen. Meneer Brugman, wat denkt u ervan om Jef Knoester vijf maandsalarissen mee te geven bij een ontbinding van de arbeidsovereenkomst per 15 april 2005?'

Mijn cliënt verschoot van kleur. 'Staan we hier op de markt?', vroeg hij bedremmeld. De raadsman van Knoester rook zijn kans. 'Een uitstekende suggestie Edelachtbare, dan kunnen we deze zaak vandaag nog afronden.' Nadat ik de rechter kenbaar had gemaakt dat een schikking niet tot de mogelijkheden behoorde, raakte deze zichtbaar geïrriteerd. 'Mr. De Mooij, een advocaat heeft mede als taak om namens zijn cliënt een schikking te treffen indien dat raadzaam voorkomt. U bewijst uw cliënt een slechte dienst. Vonnis over twee weken.'

Twee weken later veroordeelde kantonrechter mr. Polder mijn cliënt ongemotiveerd tot doorbetaling van loon. Bovendien moest Brugman Bouw B.V. Jef Knoester weer toelaten tot het werk. Met de uitspraak van de kantonrechter kwam mijn twaalfjarige samenwerking met Martin Brugman tot een eind. 'Persoonlijk mag ik u graag mr. De Mooij, maar in deze zaak hebt u kennelijk een cruciale inschattingsfout gemaakt.'

Rigoureuze stappen tegen een gevaarlijke huurder

Het vastgoedbedrijf Stavast B.V. was eigenaar van een stadswijk in een aan Den Haag grenzende gemeente. De driehonderd huizen dateerden van na de Tweede Wereldoorlog en verkeerden in zeer slechte staat. Sloop was noodzakelijk, waarna een nieuwe woonwijk zou worden opgetrokken. Stavast B.V. stelde de huurders op de hoogte. De sloop zou gefaseerd plaatsvinden en alle huurders waren na de herbouw verzekerd van een nieuwe woning tegen gelijkblijvende huurprijzen. Alle huurders stemden in met de plannen. Zij gingen er per saldo immers fors op vooruit.

'Vorige week kreeg ik een brief van onze huurder Pinas', vertelde directeur Mark van Staveren van Stavast B.V. mij. 'Hij weigert plotseling zijn woning te ontruimen, terwijl hij eerder wél accoord was.' Mijn cliënt zette zijn leesbril op en citeerde uit de brief. 'Aangezien ik hier lekker woonachtig ben, zal ik zelf wel bepalen of ik meewerk. En dat doe ik dus niet. Hoogachtend, Reggie Pinas.'

Bij niet-tijdige ontruiming door Pinas zou het sloop- en nieuwbouwschema in het honderd lopen. Van Staveren: 'Dat grapje kan ons tonnen kosten, je moet proberen die Pinas tot ontruiming te dwingen.' Ik schreef Pinas eerst een brief waarin ik hem wees op de grote belangen van Stavast B.V. Alle huurders waren blij, waarom werkte Pinas als enige niet meer mee? Vriendelijk verzocht ik de huurder om zijn standpunt te herzien.

Een dag later had ik Mark van Staveren aan de lijn, hij klonk boos. 'Die Pinas stond vanochtend met twee vrienden bij mij voor de deur, mijn dochtertje deed open. Ik zal niet herhalen wat de heren gezegd hebben, maar fraai was het niet. Ze zouden mij en mijn gezin wel eens even aanpakken, als ik Pinas niet met rust zou laten.' Ik adviseerde mijn cliënt aangifte te doen bij de politie. 'Heb ik net gedaan', antwoordde Van Staveren, 'ik hoop alleen niet dat het olie op het vuur is. Die Pinas is een donkere kerel, twee meter hoog en breed. Daar moet je geen klap van krijgen.'

Stavast B.V. liet zich door de verwikkelingen niet van de wijs brengen. Er werd een aanvang gemaakt met de sloop. Alleen het huis van Pinas werd ongemoeid gelaten. Zijn woning stond er op de kale vlakte eenzaam bij.

Een onderlinge regeling zat er duidelijk niet in en op verzoek van mijn cliënt betrok ik Pinas in een kortgedingprocedure. De dagvaarding was nog niet aan de huurder betekend, of diverse ramen van het kantoorpand van Stavast B.V. werden ingegooid. En 's nachts gingen twee leaseauto's van het bedrijf in vlammen op. Voor de deur van het woonhuis van Mark van Staveren bivakkeerden continu twee allochtone mannen, die de bewegingen van de familie Van Staveren nauwlettend volgden.

De behandeling van de zaak vond plaats in augustus van dit jaar. Onder bewaking reisden Mark van Staveren en ik af naar de rechtbank. Pinas verscheen met een aantal dreigend uitziende vrienden en zijn advocaat, mr. Druif. Ik lichtte de ontruimingsvordering toe. Pinas had aanvankelijk toegezegd mee te zullen werken, maar was te elfder ure van gedachten veranderd. Inhoudelijke argumenten waren onbekend. Ik onderstreepte dat Pinas ook zelf belang had bij de sloop- en nieuwbouw. Dat laatste was tegen het zere been van de huurder. Hij sprong op. 'Wat weet jij van mij, man! Jij weet helemaal geen snarsje van mij! Bemoei je met je eigen geouwehoer, man!'

Mr. Druif beriep zich op de huurrechten van zijn cliënt. Hij vond dat de zaak eerst uitvoerig door de bodemrechter bekeken moest worden. De voorzieningenrechter sloot de zitting, het vonnis zou tien dagen later volgen. Op dit vonnis werd vast vooruitgelopen. De deurwaarder plande de ontruiming, justitie zorgde voor ondersteuning van de ME, een verhuisbedrijf werd ingehuurd. En de sloper werd gewaarschuwd.

Toen tien dagen later inderdaad een ontruimingsvonnis werd gewezen, ging het snel. Nadat Pinas de deurwaarder had opengedaan, werd hij door de politie naar buiten geleid. De verhuizers ontruimden de woning, de ME was ter plaatse. En toen de verhuiswagen de straat uit reed, kwamen de slopers. Met drie zwaaien van een enorme kogel ging het huis van de huurder tegen de vlakte. Met de hele operatie was nog geen uur gemoeid geweest. Pinas stond erbij en keek alsof hij water zag branden.

De man die van niets wist

Klaas Groen stonk naar vis. Zijn kleren waren smerig en zaten onder de schubben. 'Ik ben net terug van zee', begon hij het gesprek. 'Weinig gevangen, maar dat maakt niet uit. De omzet is toch niet voor mij, maar voor de curator.' Mijn cliënt was de eigenaar van een viskotter. Zijn onderneming was helaas failliet gegaan. De door de overheid opgelegde vangstbeperkingen hadden hem naar eigen zeggen de das omgedaan. 'De heren in Den Haag gunnen mij mijn boterham niet, met al hun regeltjes. Ze hebben hun zin. Ik ben niet de enige in Katwijk die het niet heeft gered.' Tijdens zijn faillissement werkte Klaas Groen gewoon door op zijn kotter. De curator voldeed uit de opbrengsten de schuldeisers.

Anderhalf jaar voordat zijn onderneming ten onder ging, had mijn cliënt de documenten die recht gaven op de vangst van hoeveelheden tong en schol, verkocht aan een vriend, John van Beek, die hem geld had geleend. 'Het geleende bedrag werd weggestreept tegen de koopprijs. Ik heb de transactie vast laten leggen door een notaris en die heeft alle formulieren en paperassen naar het ministerie gestuurd. Ik heb nooit meer iets gehoord. De curator zegt nu dat de overeenkomst met mijn vriend niet rechtsgeldig is, omdat het ministerie kennelijk de tenaamstelling van de documenten nooit heeft veranderd. Hij wil de vergunningen verkopen aan de hoogste bieder. Maar volgens mij is John van Beek de eigenaar. Die vist als de curator zijn zin krijgt achter het net. Want zonder die vergunningen heeft John alleen een vordering op de failliete boedel.'

Namens John van Beek begon ik over dit geschil een procedure tegen de curator. Gedurende de slepende civiele zaak was Klaas Groen een regelmatige bezoeker van de strafsectie van ons kantoor. Hij moest voorkomen voor een snelheidsovertreding in Delft ('Ik was toen niet in Delft maar zat in Marbella, weet echt van niets'), een vechtpartij in Hoek van Holland ('Ik wist niet dat die vrouw getrouwd was') en het illegaal opvissen van kabeljauw. Van dat laatste vergrijp werd mijn cliënt bij gebrek aan bewijs vrijgesproken. Een dag na de uitspraak stond Klaas in de hal van ons kantoor. Hij overhandigde mij twee vuilniszakken, die tot de rand toe waren gevuld met tong. De weeë lucht verspreidde zich onmiddellijk door het hele gebouw. 'Lekker een visje, voor op de barbecue', glunderde mijn cliënt.

Over de aan John van Beek verkochte visdocumenten werd tot aan de Hoge Raad doorgeprocedeerd. Waren de goedkeuring van het ministerie en de wijziging van de tenaamstelling noodzakelijk voor een rechtsgeldige koopovereenkomst, luidde de juridische vraag die beantwoord moest worden. In vissend Nederland werd de rechtszaak met belangstelling gevolgd. De curator werd uiteindelijk in het gelijk gesteld. Hij mocht de vergunningen aan derden verkopen. Klaas Groen was nauwelijks aangedaan. 'Er zijn vijf jaren verstreken en met John van Beek heb ik het al lang goedgemaakt. Ik kan geen vis meer zien en zit in een hele andere handel. Ben in Katwijk een cafeetje begonnen. Het loopt als een trein!'

In mei 2005 stond Klaas Groen opnieuw onaangekondigd op de stoep. Deze keer niet met twee zakken vis, maar met een Thaise bruid. 'Ik moest in Den Haag zijn en dacht, even mijn meisje laten zien. Mai en ik zijn net getrouwd. Ik heb haar vorige maand leren kennen tijdens een vakantie in Pattaya.'

De echtscheidingsprocedure die mijn impulsieve cliënt twee jaar later aanhangig wilde maken, kwam voor mij niet als een verrassing. Wél dat Klaas Groen als horecaondernemer in gemeenschap van goederen was getrouwd ('Ik wist niet dat je na afloop alles eerlijk moest delen'). De Thaise Mai kreeg de helft van wat Klaas na zijn faillissement had opgebouwd. Zij nam een enkeltje Bangkok.

Een paar maanden geleden kreeg ik een berichtje van onze telefoniste. 'Klaas Groen aan de lijn. Hij belt vanuit de gevangenis.' Klaas klonk opgewekt. 'Ha, mr. De Mooij. Kunt u iemand van de strafsectie sturen? Ik was aan het varen op het schip van een makker van mij. Krijgen we douane aan boord. Wat blijkt, het ruim lag stampvol illegale sigaretten! En u moet mij geloven … ik wist dus van niets!'

Levenslange wedstrijd zonder winnaar

In 1989 werd ik beëdigd als advocaat. Een van mijn eerste cliënten was de heer Carl Berkelaar, eigenaar van Drukkerij Berkelaar. Drukkerij Berkelaar was verwikkeld in een conflict met concurrent Woerkom Offset. Woerkom Offset zou de financiële man van Drukkerij Berkelaar hebben weggekocht. De emoties voor en tijdens de rechtszaak liepen hoog op, ook al omdat de directeur van Woerkom Offset, Kees Woerkom, een neef was van mijn cliënt.

Drie jaar later lagen dezelfde partijen weer in de clinch. Carl Berkelaar was witheet mijn kantoor binnengestormd. 'Woerkom heeft het weer geflikt. Mijn beste verkoper is naar hem overgelopen. Nota bene: er staat een concurrentiebeding in zijn arbeidscontract. De Mooij, we gaan procederen, tegen de verkoper en tegen Woerkom!'

Met het verstrijken der jaren groeiden beide drukkerijen gestaag. De ondernemingen trotseerden economische tegenwind en investeerden in nieuwe technologieën. Ondertussen werd een verbeten onderlinge strijd gevoerd. De competitie breidde zich van de directiekamers uit naar de werkplaatsen van de bedrijven. Werknemers van Berkelaar weigerden in één voetbalelftal met personeel van Woerkom te spelen. Woerkom-families weerden Berkelaar-telgen van de scholen waar hun kinderen onderwijs volgden.

De animositeit tussen Carl Berkelaar en Kees Woerkom bereikte een hoogtepunt tijdens een familiefeestje in 1997. Na een aantal glazen ontstond er een discussie tussen de heren, die uitmondde in een ordinaire vechtpartij. De 57-jarige Woerkom zou mijn cliënt een kopstoot hebben gegeven. Volgens de overlevering zou Carl Berkelaar zijn opponent vervolgens een schaal met kippenpootjes naar het hoofd hebben gegooid, waarbij Woerkom een lelijke snee had opgelopen. Beide ondernemers dreigden vervolgens aangifte wegens mishandeling te doen. De advocaten van de drukkers wisten hun cliënten aan tafel te krijgen. Alhoewel de stoom uit hun oren kwam, bereikten

Berkelaar en Woerkom een compromis. Zij zouden elkaar tijdens feesten en partijen zo veel mogelijk ontlopen.

Maar de strijd op het zakelijke front werd juist intensiever en harder. Alhoewel mijn cliënt en zijn tegenstrever inmiddels veelvoudig miljonair waren, werd er om elke klant en elke opdracht gevochten.

In 1999 verhuisde Carl Berkelaar naar een riante villa in Wassenaar. Tijdens de housewarming stond hij te glunderen en oogde ontspannen. Twee maanden later was dat anders. 'Je moet een kort geding beginnen', brulde Berkelaar door de telefoon. 'Weet je wie er naast mij komt wonen? Woerkom! Ik wil dat je het tegenhoudt, hoor je!' Maar Woerkom mocht natuurlijk wonen waar hij wilde, en juridisch kon ik niets voor mijn cliënt betekenen. Twee jaar later kon ik hem wel van dienst zijn. Berkelaar wilde scheiden van zijn echtgenote Berdien, met wie hij veertig jaar getrouwd was. 'Ja, jij denkt natuurlijk dat ik het erom heb gedaan, maar ik heb een verhouding gekregen met Christine Woerkom', vertelde mijn cliënt tijdens het intakegesprek. 'Met de buurvrouw, zal ik maar zeggen.'

In 2004 kaapte Woerkom Offset de grootste klant van Drukkerij Berkelaar weg door ten behoeve van die klant onder de kostprijs te werken. Onrechtmatig, meende Berkelaar, en een volgende rechtszaak werd opgetuigd.

Anderhalf jaar geleden wijzigde Berkelaar het logo van zijn onderneming. De rood-zwarte letters BK maakten plaats voor een gele streep met daarboven het woord Berkelaar. Die verandering was tegen het zere been van Woerkom Offset. In het logo van die onderneming kwam immers ook een gele streep voor. Woerkom betoogde dat er gevaar voor verwarring was ontstaan, en begon een kort geding.

In augustus 2005 verschenen de bejaarde ondernemers bij de voorzieningenrechter in Den Haag. Voor de zitting bestudeerde ik Woerkom. Hij was sinds de vorige rechtszaak sterk verouderd. Zijn opgeblazen gezicht was rood aangelopen door woede en stress.

Tijdens de zitting vroeg mijn cliënt het woord. Venijnig uitte Carl Berkelaar de ene na de andere beschuldiging aan het adres van Woerkom, terwijl hij met bevende hand naar zijn opponent wees. Woerkom deed ook een duit in het zakje: 'Berkelaar heeft mijn leven verwoest Edelachtbare, het is een gifmenger en een misdadiger.'

De voorzieningenrechter hoorde de verhalen van de grijsaards hoofdschuddend aan en bepaalde het vonnis op twee weken later. Maar van dat vonnis zou Kees Woerkom nooit kennisnemen. Hij stierf kort na de zitting aan een hersenbloeding.

Carl Berkelaar trok zich medio 2006 terug uit zijn bedrijf. Op zijn afscheidsreceptie schudde ik hem de hand. 'Ik weet niet hoe het komt', verklaarde hij zijn vertrek, 'maar de laatste tijd had ik gewoon geen lol meer in mijn werk.'

Eendenlever en een vriendin op Hawaï

'I know nothing', had de eiser in het kort geding geantwoord, 'I no speak Dutch, mister.' De voorzieningenrechter had de kleine Aziatische man gevraagd of hij begreep waar de zaak over ging. Zijn advocaat schoot te hulp. 'Mijn cliënt John Singh spreekt inderdaad geen woord Nederlands, Edelachtbare. Hij is door de eigenaar van restaurant Coriander ontslagen. Singh moest een brief ondertekenen die hij niet kon lezen, en is zonder pardon het pand uit gezet.' Met gevoel voor theater keek de raadsman verdrietig naar mijn cliënt. 'Het is een regelrechte schande. Zo ga je niet met elkaar om.'

Drie dagen eerder was Kees Kingcrab, de chefkok en eigenaar van het in Rijswijk gevestigde sterrenrestaurant Coriander, samen met zijn charmante echtgenote Pia langs geweest op mijn kantoor. Hij had de kortgedingdagvaarding overhandigd. 'Sorry hoor, ieder zijn vak', was hij begonnen, 'maar hoe die collega van u de boel verdraait, niet normaal.'

Mijn cliënt vertelde mij dat hij John Singh drie maanden terug in dienst had genomen als manusje-van-alles. Singh werd ingezet om af te wassen, de ijskasten schoon te maken en boodschappen te doen. 'Ik heb Singh een contract van een halfjaar gegeven. Op dag één had ik al in de gaten dat het een miskleun was. Die jongen zat constant mobiel te bellen, was slordig en maakte een ongeïnspireerde indruk.' Een paar weken na zijn aanstelling had John Singh mijn cliënt aangesproken. Hij wilde ontslag nemen. Singh was verliefd geworden op een meisje uit Hawaï en was van plan naar het tropische eiland af te reizen. 'Als je zelf ontslag neemt, krijg je geen uitkering John, heb ik tegen hem gezegd', vertelde Kees Kingcrab. 'Maar dat maakte Singh niet uit, hij ging toch weg uit Nederland.' Mijn cliënt had zijn manusje-van-alles verzocht een ontslagbrief te schrijven. Singh was vervolgens vertrokken en had een paar weken niets van zich laten horen. 'Toen belde hij op', nam Pia het verhaal over. 'Hij vroeg waar zijn salaris bleef. Ik heb Singh gezegd dat hij maar naar het restaurant moest komen.'

Singh was langs geweest, maar zonder ontslagbrief. Hij had zijn resterende salaris opgeëist. Kees Kingcrab: 'Ik heb zelf maar een verklaring opgesteld, waarin stond dat het dienstverband geëindigd was. Voordat Singh zijn handtekening zette, heb ik hem nogmaals gevraagd of hij de consequenties overzag. Pia was erbij, en twee medewerkers. Singh zei dat hij wist wat hij deed, heeft het geld aangepakt en is weggegaan. En nu doet-ie nota bene alsof hij het allemaal niet begrepen heeft!'

De voorzieningenrechter richtte het woord tot mijn cliënt. 'Mijnheer Kingcrab, de heer Singh vordert in deze procedure doorbetaling van zijn loon tot het eind van de contractstermijn. Hij stelt dat u hem een beëindigingsovereenkomst hebt laten ondertekenen, terwijl u wist dat hij de inhoud niet begreep omdat hij geen Nederlands spreekt. Wat is uw reactie?' Mijn stevig gebouwde cliënt was in zijn koksbuis op het kort geding verschenen. 'Singh spreekt onze taal prima, meneer de rechter. Als ik bijvoorbeeld "Eendenlever!" tegen hem riep, dan ging-ie meteen naar de kelder en kwam terug met een eendenlever. En niet met een fazant.'

De advocaat van John Singh mengde zich weer in de strijd. 'Dat kan toch niet', riep hij huilerig, 'hoe hier misbruik is gemaakt van de taalachterstand van mijn cliënt!' De voorzieningenrechter zat met de zaak in zijn maag. 'Eigenlijk zouden er getuigen gehoord moeten worden, maar dat is iets voor een bodemprocedure. En die kost meer dan het bedrag waarover hier gediscussieerd wordt. Dame en heren, ik stuur u naar de gang om deze zaak te schikken.'

Puur uit zakelijke overwegingen besloten Kees Kingcrab en zijn Pia om werknemer Singh nog een klein bedrag mee te geven. Het gezelschap keerde terug naar de rechtszaal en informeerde de voorzieningenrechter. Zijn lange, ervaren griffier werkte de schikking uit en legde het document eerst ter ondertekening voor aan John Singh.

Die zette een leesbril op en begon de in het Nederlands opgestelde overeenkomst uitvoerig te bestuderen.

'Ja', siste de griffier, net hoorbaar. 'Lees maar goed wat u tekent.'

Verslaafd aan tandpasta

Anneke Bril van vastgoedonderneming Burgtwal B.V. keek mij ernstig aan. 'Wij moeten waken voor de belangen van onze huurders. De afgelopen maanden worden wij overstelpt met klachten over mevrouw Willie. Zij bewoont een appartement van ons in het centrum van Den Haag.' Elske Willie zou omwonenden hebben bedreigd, geslagen en uitgescholden. Volgens een door haar buurvrouw G. Jansse ingevuld overlastformulier zou huurster Willie 'd'r eige lichaam hebben verkocht aan buitenlandse mannen'. De onderburen beschuldigden Elske Willie van het gebruiken van cocaïne en het handelen in harddrugs.

Ik vroeg mijn cliënte naar rapportages van de politie. 'De politie is naar aanleiding van de klachten wel dikwijls langs geweest, maar heeft nooit overlast of wantoestanden geconstateerd', vertelde Anneke Bril.

Op mijn advies had mijn cliënte Elske Willie uitgenodigd voor een gesprek. Dat had weinig opgeleverd. De huurster had alle aantijgingen ontkend. Anneke Bril: 'Ze speelt de vermoorde onschuld. Het lijkt mij sterk dat alle flatbewoners de verhalen uit hun duim zuigen. Bij het volgende incident moeten wij juridische actie ondernemen.' Dat incident liet niet lang op zich wachten. In de nacht van 13 op 14 februari 2009 was Elske Willie slaags geraakt met buurvrouw Jansse. Hierbij zou een ruit in het portiek van de flat gesneuveld zijn. Buurman Van der Zwan verklaarde schriftelijk dat hij getuige was geweest van de vechtpartij. 'Willie heb Gwen Jansse op d'r oog geslage en door het raam geduwd.'

Namens Burgtwal B.V. vorderde ik in een gerechtelijke procedure ontbinding van de huurovereenkomst. In een handgeschreven brief had huurster Elske Willie van zich afgebeten. Alle beschuldigingen waren onjuist. Er was sprake van een hetze. 'Ik neem aan dat ze met zo'n verweer geen kans maakt', reageerde Anneke Bril van Burgtwal B.V. 'Da's lekker makkelijk, alles ontkennen!' De kantonrechter in

Den Haag gelastte een comparitie van partijen. Aangezien ons bewijs in deze zaak alleen bestond uit getuigenissen van buren en omwonenden, verzocht ik mijn cliënte om al deze buurtbewoners te mobiliseren. Ze moesten mee naar de zitting.

Op 21 april verzamelde zich een bont gezelschap in het Paleis van Justitie. Anneke Bril stond met twaalf buren en omwonenden voor de zittingzaal. Mannen met tatoeages en halflange, leren jacks. En vrouwen met oranje zonnebankhoofden. Een eindje verderop zat Elske Willie, in haar eentje. Het magere meisje had haar rossige haar in een knoetje opgebonden.

Kantonrechter mr. Olmen was een aimabele man met een grote mensenkennis. Hij wist partijen in de rechtszaal op hun gemak te stellen. Niet zelden leidde dat tot ontboezemingen die beslissend waren voor de uitkomst van de procedure.

'Mevrouw Willie, vertelt u eens, wat vindt u van alle beschuldigingen van uw buren?', vroeg hij aan mijn wederpartij. Elske Willie schraapte haar keel. 'Iek ben volslagen verrast door al deze gebeurtenissen, geachte magistraat', sprak zij met Belgische tongval. 'Het enige dat iek u kan verklaren, is: alles ies geheel onjuist.' Het platte Haags van buurvrouw Gwen Jansse stak schril af bij het vriendelijke Belgische accent van Elske Willie. 'En heb je mijn dan niet op me oog geslage, Willie?', mengde zij zich vanaf de publieke tribune in de strijd.

De kantonrechter keek Elske Willie aan. 'Iek kan dat niet geweest zijn', reageerde zij. 'Op dat moment verbleef iek namelijk in het cachot van de gemeente Wortel in België. In verband met mijn tandpastaverslaving, Edelachtbare.' Huurster Willie toverde een stapel papieren uit haar handtas. Er zat een verklaring tussen van de gevangenisdirecteur van de penitentiaire inrichting te Wortel. In verband met het herhaaldelijk ontvreemden van grote hoeveelheden tandpasta had Elske Willie van 10 tot 17 februari 2009 gedetineerd gezeten.

'Wat een vreemde verslaving', merkte de kantonrechter op. 'Maar wel een andere dan ik tegenkom in het dossier.' Hij wendde zich nu tot Gwen Jansse. 'Mevrouw Jansse, volgens mij speelt er meer in deze zaak. Zegt u het maar eerlijk.' Buurvrouw Jansse ging staan. 'Wij motten geen frietzak in onze flat. Bij ons kenne alleen Hagenezen wonen.' Er volgde instemmend gemompel uit de zaal. Kantonrechter mr. Olmen ging verder. 'Dus u hebt met z'n allen geprobeerd om mevrouw Willie weg te werken uit uw flat?' Vele Haagse hoofden op de tribune knikten bevestigend. 'Dan weet ik wat ik moet weten', zei de rechter en hij sloot de zitting. Elske Willie verliet de rechtszaal. Toen ik haar aankeek, schonk zij mij een stralende, witte lach.

Scheve verhoudingen en een erfenis

'Toen ik het hoorde, kreeg ik bijna een hartverzakking', vertelde Marja Kruythof in onvervalst Haags. Haar twee zussen knikten instemmend. 'We hebben er jarenlang met onze neus bovenop gezeten en niets van gemerkt.' Meer dan dertig jaar had de familie Kruythof een manege geëxploiteerd. Vader Rinus Kruythof had kort na de oorlog een stuk grond aan de rand van de stad verworven en hierop een boerderij met stallen laten bouwen. Zijn echtgenote en hij kregen drie dochters en een zoon. Die kwamen allemaal op de manege te werken. Begin jaren zeventig besloten vader en moeder Kruythof een kind te adopteren. Wendy was twaalf jaar toen zij liefdevol werd opgenomen in de familie. 'Ik heb Wendy altijd als mijn zusje beschouwd', vervolgde Marja Kruythof. 'Ze was lief en behulpzaam.' Ben Kruythof viel zijn zus bij. 'Ja, lief en behulpzaam was ze, vooral voor pa.' Mijn cliënten keken elkaar aan en grinnikten. 'Ze heeft pa bijzonder goed geholpen', deed Emma Kruythof een duit in het zakje. 'Achter de stallen.'

In de loop van de tijd waren de natuurlijke kinderen van het echtpaar Kruythof uitgevlogen, Wendy was op de boerderij blijven wonen. Na de dood van hun moeder had Rinus Kruythof zijn kinderen opgebiecht dat hij al tien jaar een verhouding had met hun aangenomen zus. Dat nieuws was als een bom ingeslagen. 'Ik kon dat secreet d'r nek wel omdraaien', zei Rita Kruythof. 'Onder de ogen van mijn moeder! Die haar als een dochter heeft opgevoed!' Vader Kruythof, inmiddels in de zeventig, had tijdens die bijeenkomst benadrukt dat het zijn wens was dat alle kinderen, inclusief Wendy, na zijn dood gelijk in zijn erfenis zouden delen. Afgesproken werd dat de grond en opstallen bij zijn overlijden zouden worden ontruimd en verkocht. Dat werd vastgelegd in een contract.

'Maar de inkt was nog niet droog, of ons lieve, kleine zusje begon aan deel twee van haar plan', zei Marja Kruythof met rode koontjes. 'Zij zorgde ervoor dat ze de beschikking kreeg over de bankrekening van mijn vader. En het bedrijf kwam op haar naam te staan.'

Twee jaar geleden was ook Rinus Kruythof komen te overlijden, na een lang ziekbed. 'In die periode heeft Wendy nog geprobeerd om vader zover te krijgen dat hij met haar zou trouwen. Dan had ze gewoon op de manege kunnen blijven, begrijpt u?' Na de dood van hun vader hadden mijn cliënten aangedrongen op de verkoop van de manege en boerderij, maar Wendy had geweigerd. Haar ervaren advocaat had een doortimmerd verweer. De eerdere afspraken waren nietig, zijn cliënte beriep zich op huurbescherming. Haar onderneming had immers de opstallen van vader Rinus gehuurd? Rita Kruythof had zich tijdens een volgende bespreking vreselijk opgewonden over de laatste ontwikkelingen. 'En dan te bedenken dat Wendy het verschil niet weet tussen een paard en een zeehond. Ze is slecht met dieren. Weet je nog wat ze de poezen op de boerderij te eten gaf? Van die gele korrels. Mijn poes krijgt tonijn!'

Namens mijn cliënten vorderde ik in kort geding ontruiming van de manege en medewerking aan de verkoop van de percelen. Maar op de zitting kwam de advocaat van Wendy met een nieuw plan. Zijn cliënte zou de helft van de grond overnemen, het restant van het perceel kon aan een projectontwikkelaar worden verkocht. De voorzieningenrechter gaf mijn wederpartij het voordeel van de twijfel. 'Maar als u op 1 maart uw ideeën niet hebt kunnen verwezenlijken, zult u moeten ontruimen.'

Halverwege februari meldde de raadsman van Wendy dat zijn cliente de financiering niet rond kreeg. Maar tot ontruiming was zij nog steeds niet bereid. Zij had een nieuwe constructie bedacht om de manege niet te hoeven verlaten.

Twee weken geleden stonden partijen weer voor dezelfde rechter. Wendy en haar advocaat probeerden gehoor te vinden voor de laatste plannen, maar de voorzieningenrechter maakte hiermee korte metten. 'Afspraak is afspraak mevrouw, u zult moeten ontruimen en moeten meewerken aan de verkoop van de grond en opstallen.'

Na afloop van de zitting was de stemming onder mijn cliënten uitgelaten. Op het terras in de Theresiastraat volgde de ene grap na de andere. Ben hield zich rustig. 'Wie zit je te sms'en?', vroeg Marja Kruythof haar broer. Geen reactie van Ben. 'Mannen in onze familie kunnen het moeilijk bij één vrouw houden', gaf zij zelf antwoord.

Niet zonder zijn dochter

De heer Cesim was al een jaar of tien cliënt van ons kantoor. Hij exploiteerde een zevental restaurants in de Randstad. Cesim was een modelcliënt. Hij leverde zijn zaken netjes aan, kwam zijn afspraken na en betaalde zijn rekeningen op tijd. Cesim lachte weinig en was koppig, maar onder zijn zware wenkbrauwen glinsterden vriendelijke ogen.

In 1999 was Cesim voor de tweede keer getrouwd. Hij had tijdens een vakantie zijn echtgenote Sayra ontmoet in een dorp vlak bij Antalya. Zij was de dochter van een schatrijke handelaar. Op haar achttiende jaar was Sayra op zoek naar spanning en avontuur. Toen Cesim haar vroeg met hem af te reizen naar Rotterdam, had zij meteen ja gezegd. In 2000 werd uit hun huwelijk een dochtertje geboren, dat zij Dunya noemden.

Maar het leven in Nederland kon Sayra niet bekoren. Het klimaat beviel haar niet. Bovendien weigerde Sayra om de Nederlandse taal te leren, waardoor zij al snel in een isolement raakte. Cesim probeerde van alles om zijn verwende vrouw tevreden te stemmen, maar het was tevergeefs. De gemeenschappelijke liefde voor hun dochter Dunya was onvoldoende om het stel bij elkaar te houden. Op een koude oktobermorgen in 2004 had Sayra met Dunya een enkele reis naar Turkije genomen, vastbesloten om nooit meer naar Nederland terug te keren.

Cesim was een gebroken man. Hij verdrong zijn verdriet door zich op zijn werk te storten. Door bemiddeling van familie kwam er na een aantal maanden weer contact tussen Cesim en Sayra tot stand. Zij besloten te scheiden. Cesim zou zo vaak als zijn werk het toeliet naar Turkije komen om zijn dochter Dunya te zien. Sayra beloofde hem daartoe alle gelegenheid te bieden.

In januari van dit jaar kwam Cesim bij mij langs. Hij had de inmiddels zesjarige Dunya bij zich. Een beeldschoon, verlegen meisje. 'Mr. De Mooij', begon Cesim zijn verhaal, 'volgende week moet ik voor de rechter in Rotterdam verschijnen. Sayra wil dat ik Dunya aan haar teruggeef, maar dat zal nooit gebeuren.'

Cesim was in november 2005 naar Turkije gegaan om zijn dochter te zien. Sayra had echter dwarsgelegen en Dunya bij haar vader weggehouden. De vrouw had een nieuwe liefde gevonden en Cesim paste niet meer in haar leven. Maar Cesim was er de man niet naar om zich te laten afschepen. Met een doorgeladen jachtgeweer was hij het huis van de familie van Sayra binnengestormd en had meegenomen wat hem in zijn ogen toekwam: zijn oogappel Dunya.

Sayra werd zo gedwongen om terug te keren naar het door haar verfoeide Nederland. Voor de rechtbank in Rotterdam vorderde zij dat Cesim hun dochter aan haar zou meegeven, op straffe van een dwangsom van € 10.000 per dag.

De voorzieningenrechter manoeuvreerde voorzichtig in deze delicate kwestie. 'Meneer Cesim, wie zorgt er voor uw dochter als u in uw restaurants aan het werk bent?', vroeg hij. Cesim antwoordde dat zijn moeder dan op Dunya paste. 'En gaat Dunya in Rotterdam naar school?', vervolgde de rechter. Nee, moest Cesim toegeven, eerlijk gezegd ging Dunya niet naar school. Maar hij zou haar binnenkort aanmelden.

De raadsman van Sayra betoogde dat de jonge Dunya bij haar moeder hoorde te zijn en in Turkije naar school diende te gaan. Daar woonde zij immers al jaren en sprak zij de taal. En bovendien: Cesim kon door zijn werk niet behoorlijk voor zijn dochter zorgen.

Een dag na de zitting stond Cesim in een grote terreinwagen voor mijn kantoor. De auto was tot de nok toe volgestouwd met koffers en spullen. Op de passagiersplek zat Dunya.

'Ik weet hoe het kort geding gaat aflopen,' zei Cesim voor hij wegreed. 'Maar ik kan dan niet verder. Niet zonder mijn Dunya.'

Een scherpe debater aan het woord

De heer drs. Charles Jongeleurs had nauwelijks plaatsgenomen in onze bespreekkamer of hij schoof een goudkleurig visitekaartje naar mij toe. Mijn cliënt bleek de 'Vice-President' te zijn van International Construction Inc., een groot Amerikaans vastgoedfonds met nevenvestigingen in Europa. In een lang betoog – doorspekt met Amerikaanse termen – schetste drs. Jongeleurs de recente acquisities van zijn werkgever. Mijn gesprekspartner stak ook zijn eigen prestaties niet onder stoelen of banken. 'Ik leef de American Dream. In de US hoef je je daar niet voor te schamen, you know.'

International Construction Inc. bezat vijftien winkelcentra in Nederland, waarvan één aan de rand van Den Haag. Jongeleurs: 'Wij hebben die Shopping Mall drie jaar geleden gekocht. Nu willen wij het centrum anders gaan indelen.'

Slachtoffer van de renovatieplannen dreigde huurder Brink B.V. te worden. Al 23 jaar huurde Brink B.V. een volledige verdieping in het winkelcentrum en verkocht daar meubels. 'Die huurder moet vertrekken, anders kunnen wij de plannen niet uitvoeren', verklaarde Jongeleurs de reden van zijn bezoek. 'En jij moet dat regelen, as soon as possible.'

Namens International Construction Inc. stuurde ik Brink B.V. een brief, waarin de huur werd opgezegd. Een dag later kreeg ik een telefoontje van mevrouw Brink. 'Ik bevestig even dat ik uw brief ontvangen heb, mr. De Mooij', klonk een vriendelijke stem aan de andere kant van de lijn. 'Wij zijn ons eerlijk gezegd rot geschrokken. Brink B.V. is een familiebedrijf. Ik heb samen met mijn echtgenoot Kees altijd in de winkel gestaan. Kees is vorig jaar plotseling overleden.' Even was het stil, toen hervond mevrouw Brink zich. 'Kort geleden heb ik besloten om het bedrijf over te doen aan mijn jongens. U moet weten, de dokter heeft mij verteld dat ook ik niet lang meer te gaan heb. En nu komt dit er nog bij ...'

Ik adviseerde mevrouw Brink een gespecialiseerde advocaat in te schakelen. Huurders genieten immers een uitgebreide in de wet vastgelegde bescherming en kunnen niet zomaar tot ontruiming gedwongen worden.

Een week later werd ik gebeld door mr. Melchior Plof. 'Amice!', bulderde hij door de telefoon. 'Leuk om de juridische degens te kruisen, haha!' Voordat ik de kans kreeg te antwoorden, ratelde mr. Plof door. 'Maar u weet het wel hè, recht op huurbescherming of ontruimingsbescherming of hoe ze het allemaal ook mogen noemen! Dat wordt dus procederen. Goed voor de omzet zullen we maar zeggen, haha!'

Onze deurwaarder bracht op mijn verzoek de inleidende dagvaarding uit. Mr. Plof reageerde een maand later met een uitgebreide conclusie van antwoord. Verbaasd las ik het verhaal door. Mr. Plof beperkte zich tot een zogenoemd 'zieligheidsverweer'. Mevrouw Brink was al oud, was net opgenomen in het ziekenhuis, haar zoons hadden erop gerekend de winkel te kunnen overnemen, enzovoort. Een heel scala aan valide juridische argumenten liet mr. Plof echter onbesproken. Nieuwsgierig geworden bezocht ik de website van mijn vakbroeder. De advocaat presenteerde zich daar onder meer als 'een ervaren huurrechtspecialist en scherpe debater'.

De kantonrechter bepaalde een comparitie van partijen. Samen met drs. Jongeleurs zat ik te wachten voor de zittingzaal toen de wederpartij arriveerde. Mr. Plof kwam met grote stappen op mij af en brulde: 'Amice, klaar voor de strijd?! Dat het recht mag zegevieren!' In een rolstoel zat mevrouw Brink. Haar huid was geel en haar ogen waren bloeddoorlopen. Naast de vrouw stonden haar beide zoons. Ik gaf mevrouw Brink een hand. 'Gisteren ben ik geopereerd. Maar ik moest hier bij zijn, mr. De Mooij', fluisterde zij.

In een kort pleidooi lichtte ik het standpunt van mijn cliënte toe, waarna de kantonrechter het woord gaf aan mr. Plof. Die richtte zich in zijn volle lengte op, nam een grote hap lucht ... en ging weer zitten. Uiteindelijk volgde stotterend het verweer: 'Het is een schande Edelachtbare, ik bedoel echt een regelrechte blamage, dat deze arme mevrouw Brink, in haar toestand, een dergelijke wanvertoning, ook in verband met de Huurwet ...' De kantonrechter reageerde geïrriteerd. 'Mr. Plof, ik ben in afwachting van uw juridische verweren.' Mijn tegenpleiter blies zich weer op, maar kwam opnieuw niet verder dan een aantal verontwaardigde kreten.

In een hoek van de zittingzaal zat mevrouw Brink in haar rolstoel. Zachtjes schudde zij met haar hoofd. Met elk woord van haar raadsman zakte haar kin verder op haar borst.

De prijs van moeder

Cliënt Gerards was niet bij toeval rijk geworden in de harde onroerend goed wereld. Hij was sneller dan veel van zijn concurrenten en slagvaardig. Gerards had een eenvoudig wereldbeeld. 'Ik wil niet de filosoof uithangen, maar uiteindelijk draait alles altijd om geld', meldde hij mij bij onze eerste ontmoeting.

Recentelijk had Gerards een schitterend perceel aan het Belgisch Plein gekocht voor € 400.000. Het pand werd sedert 1933 verhuurd aan mevrouw Minnema. Zij was 92 jaar oud, een detail dat andere geïnteresseerden bij hun biedingen kennelijk over het hoofd hadden gezien. 'Mevrouw Minnema kan 95 worden en misschien zelfs 97, maar binnen nu en vijf jaar komt dat pand vrij en dan verkoop ik het voor minimaal € 1.000.000', vertelde Gerards zijn plannen.

Een week later, op vrijdagmiddag, besloot Gerards even kennis te maken met mevrouw Minnema. Nadat hij had aangebeld was het tot zijn verbazing niet mevrouw Minnema die de deur opende, maar een slaperige man van een jaar of zestig. Gerards was meteen op zijn hoede en vertelde dat hij namens de gemeente de muren van het pand kwam controleren op betonrot, waarna hij werd binnengelaten. Tijdens een korte rondleiding constateerde Gerards dat vier kamers in het pand waren ingericht als slaapkamer. 'Ik heb slecht nieuws over de muren, mag ik mevrouw Minnema even spreken', vroeg Gerards. 'Dat is mijn moeder, maar die woont hier al twee jaar niet meer', antwoordde de man. 'Moeder zit in een verpleeghuis aan de Badhuiskade. Ik woon hier met mijn twee broers en zuster. Wij zijn alle vier ongetrouwd. Toen moeder moest verhuizen dachten wij: laten wij gezellig gaan samenwonen.'

Gerards wist genoeg en spoedde zich naar mijn kantoor. 'Kijk De Mooij, dit is een huurcontract van vóór de oorlog, maar er staat wel duidelijk dat het verboden is om het gehuurde in gebruik te geven aan derden. En dat doet de huurster. De kinderen Minnema moeten dus vertrekken. Die zitten daar lekker met z'n vieren voor een flut-huurtje mijn pand aan het Belgisch Plein uit te wonen.'

Namens Gerards sommeerde ik de kinderen Minnema om het perceel aan het Belgisch Plein te ontruimen, nu zij daar zonder recht of titel verbleven. Een dag later hing mr. Beers aan de lijn, een bevriende advocaat, gepokt en gemazeld in het huur- en onroerend goedrecht. 'Wat gemeen dat jij die oude moeder van haar kinderen wil scheiden,' grinnikte hij. 'Weet je niet dat mevrouw Minnema alleen maar tijdelijk in het verzorgingshuis verblijft? Haar huisarts zal verklaren dat mevrouw binnen afzienbare tijd naar haar huis aan het Belgisch Plein kan terugkeren. Om daar nog lang en gelukkig te leven. En de kinderen? Die wonen al eeuwen in dat pand en kunnen een beroep doen op huurbescherming. Er is de laatste 60 jaar sprake van een duurzame gemeenschappelijke huishouding. Geen sterke zaak, De Mooij. Zou er niet aan beginnen.'

Drie weken later diende een kort geding waarin ik namens Gerards ontruiming van het pand aan het Belgisch Plein vorderde. De kinderen Minnema waren allen present en werden vertegenwoordigd door mr. Beers.

Nadat de advocaten hun pleidooien hadden gehouden, richtte de voorzieningenrechter het woord tot de kinderen Minnema. Hoe keken zij tegen deze affaire aan? 'Het betekent de dood van moeder', sprak zus Minnema zacht. 'Het arme mens heeft haar hele leven in dat pand gewoond. Zelf vind ik wel een andere woning, dat is het punt niet. Het gaat mij om moeder. Zij verdient dit niet.' Eén van de broers nam het woord. 'Rechter, ik smeek u, zet mijn moeder niet op straat. Zij is 92 jaar oud! Meneer Gerards denkt alleen maar aan geld. Onze belangen wegen veel zwaarder. Het leven van moeder is in het geding.' Ook de twee andere broers wierpen zich in de strijd: 'Wij willen best verhuizen. Maar moeder kan niet zonder ons, begrijpt u dat toch. Het betekent haar einde!'

Gerards had het hele verhaal onbewogen aangehoord. Plotseling schalde zijn harde, rauwe stem door de rechtszaal: 'Ik bied jullie samen € 20.000 om op te zouten! Moeder en kinderen. Zeg het maar: ja of nee.'

Het werd doodstil. De zus keek naar haar broers en de broers keken naar hun zus. Gevieren keken zij naar hun advocaat. 'Ze doen het,' sprak mr. Beers het verlossende woord. Opgelucht haalden de Minnema's adem. 'Maar moet er niet nog even gebeld worden met uw moeder?' informeerde de voorzieningenrechter voorzichtig. Vier hoofden knikten van nee. Dat hoefde niet.

Een korte carrière in de advocatuur

Mijn cliënt Bolster had een aantal percelen met bedrijfsruimten in Rijswijk te huur aangeboden. Een zekere heer Rivella reageerde. Rivella vertelde ruime ervaring te hebben als exploitant van kledingwinkels en horecagelegenheden, hij kwam met allerlei aansprekende voorbeelden. Aangezien het de bedoeling van Bolster was om een modern winkelcentrum neer te zetten, leek Rivella de aangewezen persoon om de bedrijfsruimten uit te baten.

Het splinternieuwe gebouw werd door Rivella ingericht. Er kwamen vier kledingwinkels, een sportschool, een schoenenwinkel en een groot restaurant in het complex. Een halfjaar na de opening was het aanvankelijke enthousiasme van Bolster enigszins getemperd. 'Ik weet niet wat die Rivella uitspookt, maar de afgelopen maanden heb ik nog geen euro huur ontvangen van die cowboy.'

Een paar dagen later hing Bolster opnieuw aan de lijn. 'Wat me nou gebeurt, ik krijg de afgelopen week een serie rekeningen binnen. Voor een ruggetje of vijftig in het totaal. Inkoopfacturen van kleding, schoenen, spareribs, je kan het zo gek niet bedenken. Dus ik bel maar eens met die bedrijven. Wat blijkt, allemaal bestellingen van onze vriend Rivella. Heeft-ie voor het gemak maar op mijn naam laten zetten.'

Rivella werd op het matje geroepen. Alhoewel de man inmiddels een schuld van € 90.000 had opgebouwd, oogde hij ontspannen. Zijn lange blonde haar was met vet naar achteren gekamd. 'Laten we niet hysterisch worden', sprak Rivella met een cynisch lachje. 'Ik heb wat aanloopproblemen gehad. Alles komt goed, Bolster. En die inkoopfactuurtjes zal ik vanmiddag eventjes voldoen.'

Maar die middag volgden er geen betalingen en ook de huur voor de volgende maand werd niet voldaan. Bolster was er de man niet naar om zich in de maling te laten nemen. 'Aan de paal met die Rivella. Vraag het faillissement maar aan van die koekenbakker.'

Drie weken later sprak de rechtbank in Den Haag het faillissement uit van Alfredo Rivella. Tot curator werd benoemd mr. Jipke Krekel, partner van het gerenommeerde advocatenkantoor Claessens & Kuit. Namens mijn cliënt Bolster schreef ik mr. Krekel dat de huur van alle bedrijfsruimten werd opgezegd. Kort daarna ontving ik een telefoontje van mr. Krekel. 'Prima hoor De Mooij, al die huuropzeggingen, behalve voor het restaurant. Ik heb een partij gevonden die de tent wil kopen, en dat betekent geld voor de boedel. Zeg maar tegen jouw cliënt dat Katapult B.V. in de plaats treedt als huurder. En nog iets: mijn kantoorgenoot mr. Stoorvogel zal namens Rivella het faillissement aanvechten bij het gerechtshof.'

Ik bracht de boodschap aan Bolster over, die in woede ontstak. 'Da's lekker, die curator hoort mijn belangen te behartigen. In plaats daarvan zit-ie me dwars. En hoe kan een advocaat van zijn kantoor ook als raadsman van Rivella optreden? Dat bijt elkaar toch, of ben ik nou gek?'

Tijdens de zitting bij het gerechtshof was de jonge advocaat mr. Stoorvogel duidelijk niet op zijn gemak. Hij werd gestuurd door zijn kantoorgenoot mr. Krekel en geloofde niet in de zaak van Rivella. Het gerechtshof bekrachtigde het faillissement. Op de stoep van het Paleis van Justitie had Bolster belangwekkend nieuws. 'Katapult B.V. moet volgens de curator toch de nieuwe uitbater van het restaurant worden? Weet je van wie de aandelen zijn? Van Rivella. En die curator werkt mee aan dat spel!'

Namens Bolster betrok ik de curator in een kort geding en vorderde ontruiming van het restaurant. Van Bolster kon immers niet worden verlangd dat hij – via een omweg – opnieuw zaken deed met Rivella.

Tijdens de behandeling in het kort geding was mr. Krekel aanwezig, maar hij liet zich vertegenwoordigen door zijn kantoorgenoot mr. Stoorvogel. De rechtszaal zat vol met journalisten. Stotterend probeerde mr. Stoorvogel de standpunten van zijn baas te verwoorden. Op rechtstreekse vragen van de voorzieningenrechter reageerde curator mr. Krekel geïrriteerd. 'De indeplaatsstelling door Katapult

B.V. is vanuit juridisch oogpunt correct. Waar verdoen wij onze tijd mee?'

De voorzieningenrechter was een andere mening toegedaan. De curator diende de horecagelegenheid van Bolster te ontruimen, de indeplaatsstelling door Katapult B.V. ging niet door. Een blamage voor mr. Krekel van Claessens & Kuit kopte een aantal kranten. En toen moest er natuurlijk een zondebok komen. Een week na het kort geding zocht ik telefonisch contact met mr. Stoorvogel. Tevergeefs. De telefoniste van het advocatenkantoor formuleerde het als volgt: 'Mr. Stoorvogel werkt hier niet meer. Zijn toekomst ligt niet in de advocatuur.'

De normen en waarden van een neurochirurg

Toen ik de bespreekkamer binnenliep en mijn nieuwe cliënt begroette, was mijn eerste gedachte: 'Momfer de Mol'. Dr. Arnold Kurk had kortgeschoren, borstelig haar. Zijn kraaloogjes schoten heen en weer achter een klein brilletje. Mevrouw Agnes Kurk zat naast hem en keek alsof zij net iets zuurs gegeten had. 'Ik ben neurochirurg in het Ravenstein Ziekenhuis', begon de heer Kurk het gesprek. 'Vorige jaar hebben mijn echtgenote en ik een villa gekocht in Kijkduin. Het pand diende geheel gerenoveerd te worden. Wij hebben Kaasjager Architecten ingehuurd om het proces te begeleiden.'

Mijn cliënt vertelde dat hij het kantoor had gevraagd een offerte uit te brengen. 'Ik wilde één bedrag afspreken voor het hele project. De bedoeling was dat de architecten het werk vervolgens zouden uitbesteden.' De heer en mevrouw Kurk en Kaasjager Architecten waren na onderhandelingen uitgekomen op € 700.000. 'Voor dat bedrag dienden dus alle overeengekomen werkzaamheden verricht te worden', lispelde de heer Kurk. 'Maar nu worden wij geconfronteerd met rekeningen van allerlei werklui. Facturen van een timmerbedrijf, een tegelwinkel, een nota voor een houten vloer, noem maar op.'

En u hebt met deze partijen nooit rechtstreeks contact gehad?', vroeg ik mijn cliënt. Gedecideerd schudde hij zijn hoofd. 'Nee, ik heb de beste mensen nooit ontmoet. En nu moet ik voor twee ton aan rekeningen betalen. Ze moeten hun geld maar bij Kaasjager Architecten halen!'

De heer en mevrouw Kurk waren door zeven leveranciers en aannemers in evenzovele gerechtelijke procedures betrokken. Mijn cliënten vroegen mij verweer te voeren. Dat verweer moest in alle procedures op hoofdlijnen hetzelfde luiden: tussen de familie Kurk en de diverse schuldeisers bestond geen contractuele relatie. Ik stuurde mijn cliënten een opdrachtbevestiging, waarin ik mijn uurtarief bevestigde en hen op de procesrisico's wees.

De diverse rechtszaken mondden uit in comparities voor de Rechtbank Den Haag. Tijdens de eerste zitting kwam een factuur van timmerbedrijf Breukink aan de orde. De naamgever van de onderneming kreeg het woord. 'Edelachtbare, ik heb meermalen met de heer en mevrouw Kurk gesproken in Kijkduin. Zij wilden een eikenhouten betimmering in het trappenhuis. Die opdracht week af van de instructies van Kaasjager Architecten. Om die reden heb ik de familie Kurk een aanvullende prijsopgaaf gedaan. Hier heb ik een afschrift. Een dag later belde de heer Kurk. De prijs was akkoord. En toen ben ik aan de slag gegaan.'

De rechter-commissaris keek vragend naar mijn cliënten. Die keken verongelijkt voor zich uit. 'Ik heb deze man nooit gezien, zijn prijsopgaaf niet ontvangen en hem nimmer opdracht gegeven', vertelde Arnold Kurk. 'Maar de betimmering is wél aangebracht?', vroeg de rechter. Dat moesten mijn cliënten beamen.

Tijdens de zes andere comparities – waarbij steeds dezelfde rechter betrokken was – volgden vergelijkbare verhalen. De leverancier van de vloeren, de elektricien, de tuinarchitect, allemaal stelden zij van mijn cliënten rechtstreeks aanvullende opdrachten te hebben gekregen. 'Ik heb zelfs nog een keer met het echtpaar geluncht', verklaarde een verbouwereerde meubelmaker. De heer en mevrouw Kurk bleven gedurende alle zittingen stoïcijns. Zij hadden geen opdrachten verstrekt, geen brieven ontvangen en geen nota's gezien.

In juli 2006 volgden vonnissen in de diverse procedures. In alle gevallen werden mijn cliënten tot betaling veroordeeld. Ook de proceskosten kwamen voor hun rekening. De rechtbank achtte de gevoerde verweren 'aantoonbaar onjuist'.

Arnold en Agnes Kurk waren het met deze beslissingen oneens. En wie had het onheil veroorzaakt? Hun advocaat. In augustus 2006 dienden zij een tuchtrechtelijke klacht tegen mij in. 'Mr. De Mooij heeft ons niet op de hoogte gesteld van zijn uurtarief en ons voorts niet gewezen op de risico's die gepaard gaan met het procederen voor de rechtbank.'

Tijdens de zitting bij de Raad van Discipline voerde ik het verweer dat alle opponenten van de familie Kurk gevoerd hadden: Arnold en Agnes Kurk waren exact op de hoogte geweest van de uit te voeren werkzaamheden en corresponderende kosten. Hierbij wees ik op mijn bevestigingsbrief. Arnold Kurk sprong op: 'Die brief heb ik nooit ontvangen', piepte hij. Gelukkig kon ik de ontvangstbevestiging tonen.

Na de zitting was er enige commotie bij de uitgang van het Paleis van Justitie. Dichterbij gekomen zag ik dat Arnold Kurk op de grond lag. Hij was met zijn hand tussen de draaideur gekomen. Vervelend, zeker voor een neurochirurg. Even keek ik naar de zwetende en bloedende man. Toen stapte ik over de heer Kurk heen en liep naar buiten.

Het eindstation van een bejaarde huurder

De straat in Den Haag Zuid-West was onderdeel van een pakket vastgoed dat mijn cliënt Kalkhoven in 2003 had gekocht. Veel van de huizen hadden te kampen met achterstallig onderhoud. Een algehele renovatie van de percelen was de meest efficiënte aanpak. Medewerkers van Kalkhoven hadden de bewoners benaderd en hun een aanbod gedaan. Hun huizen zouden volledig worden gerenoveerd. Tijdens de werkzaamheden konden de huurders elders onderdak krijgen, op kosten van Kalkhoven. En na de afronding van het project zouden zij kunnen terugkeren naar hun verbeterde woningen. De hele operatie zou de huurders nauwelijks iets kosten. De huurprijs zou ongewijzigd blijven.

Vrijwel alle huurders pakten het aanbod van Kalkhoven met beide handen aan. 'Eén oud baasje weigert mee te werken', vertelde mijn cliënt mij in januari 2004. 'Boemel, heet de man. Hij woont al zestig jaar in het stulpje en doet lastig.' Op verzoek van Kalkhoven bestudeerde ik de juridische kant van de zaak. Wilde Kalkhoven met succes de huur kunnen opzeggen, dan moest hij volgens de wet drie jaar eigenaar zijn. 'Da's lekker', mopperde mijn cliënt in onvervalst Haags, 'dan ken de hele operatie tot 2006 in de ijskast. Allemaal vanwege die ouwe azijnpisser.' Diverse bemiddelingspogingen werden ondernomen, maar bleven zonder resultaat. De heer Boemel, 93 jaar oud, liet zijn belangen behartigen door zijn drie jaar jongere broer. Deze Harry Boemel wilde van geen wijken weten. 'Meneer De Mooij', kraste hij door de telefoon, 'mijn broer Rinus weigert de woning te verlaten. Zijn hele leven ligt hier. Al gaat iedereen op zijn hoofd staan, Rinus zal niet verhuizen.'

Begin 2006 stuurde ik de heer Rinus Boemel een huuropzegging. Al gauw ontving ik een handgeschreven brief van zijn broer. De opzegging werd niet geaccepteerd. Een procedure was onvermijdelijk. In de inleidende dagvaarding beschreef ik de belangen van mijn cliënt Kalkhoven. Harry Boemel wierp zich ook in de gerechtelijke procedure op als gemachtigde van zijn broer. In een dertig pagina's tellend verhaal spuwde hij zijn gal over mijn cliënt en zijn renovatieplannen. 'Het heerschap Kalkhoven is een exponent van de zogenaamde nouveaux riches. Hij denkt dat de hele wereld met geld te koop is. Maar dan heeft hij buiten mij en mijn broer Rinus gerekend.'

De kantonrechter bepaalde een zogenoemde descente. Partijen en hun advocaten dienden op 15 mei 2007 om 12.00 uur aanwezig te zijn in de woning van Boemel. Kalkhoven en ik meldden ons op het aangegeven adres. Het huis was opvallend klein. De kantonrechter, zijn griffier en de gebroeders Boemel zaten in de woonkamer van drie bij drie vierkante meter aan een eettafeltje. Met hoogrode konen hield Harry Boemel een ellenlang pleidooi. De kantonrechter kapte hem uiteindelijk af. 'Laten wij de bovenverdieping eens bekijken.' Schuifelend, en voorzichtig om geen beeldjes en vaasjes om te stoten, verplaatste het gezelschap zich naar boven. Daar bevond zich de slaapkamer van Rinus Boemel. Toen wij deze binnentraden, kon ik een glimlach moeilijk onderdrukken. In de hoek van de slaapkamer lag een matras met een molton dekentje. Verder werd de ruimte in beslag genomen door een netwerk van rails, huisjes, stationnetjes en met name: modeltreintjes. De huurder keek ons trots aan. 'Rinus en ik hebben deze spoorlijn in zestig jaar opgebouwd en geperfectioneerd', gaf zijn broer een toelichting. 'Dagelijks zijn wij hier samen uren bezig. U begrijpt, meneer de rechter, dit kunnen wij nooit en te nimmer opgeven!'

Op verzoek van de kantonrechter liet Rinus Boemel een treintje het parcours rondrijden. Spoorboompjes gingen open, lampjes gingen aan en uit, en af en toe kwam er een echt rookpluimpje uit de schoorsteen van het stoomtreintje.

'Enerzijds spelen hier de eminente woonbelangen van de heer Boemel, anderzijds de zakelijke motieven van de heer Kalkhoven', vatte de kantonrechter de zaak even later samen. 'Ik moet over de kwestie nadenken. Over drie weken volgt een vonnis.'

Maar zover zou het niet komen. Een paar dagen later belde Kalkhoven mij. ‘Hier volgt een dienstmededeling. Boemeltje heb eeuwigdurende vertraging opgelopen. Gisteren is hij dood gevonden tussen zijn miniatuurtreintjes. Hij zou er toch niet voor gesprongen zijn, mr. De Mooij?’

De chirurg

Mark Overbosch was in alle opzichten een geslaagd man. Gelukkig getrouwd met een knappe vrouw, drie gezonde dochters, een goede baan als orthopedisch chirurg in een Haags ziekenhuis, een villa in Marlot en een grote vriendenkring. Mark werd niet alleen als chirurg gerespecteerd. Hij was ook een goede hockeyer - in zijn jonge jaren had hij in de hoofdklasse gespeeld - en een begenadigd pianist. Maar vooral: Mark Overbosch was een vrolijke, gezellige kerel.

'Ik zit met een probleempje, ze hebben mijn rijbewijs ingenomen', vertelde hij op een stralende zomermorgen in de bespreekkamer van mijn kantoor. 'Teveel gezopen, toch achter het stuur gestapt, je kent het wel. Stom.' Uit de papieren die Mark Overbosch mij overhandigde bleek dat hij de volgende dag diende te verschijnen voor de politierechter in Den Haag. Volgens de dagvaarding had Overbosch zich in een tijdsbestek van drie maanden vijf keer schuldig gemaakt aan een alcoholverkeersdelict. Mark zelf nam het luchtig op, hij maakte een ontspannen indruk en lachte veel.

De politierechter deed dat niet. Overbosch zou zijn rijbewijs pas een half jaar later terugkrijgen en moest een forse boete betalen, besliste hij. 'Een dokter zou beter moeten weten', gaf hij Overbosch nog mee voordat hij de zitting sloot.

Een paar weken later zag ik Mark Overbosch in de stad. Hij zat met een aantal vrienden op het terras voor De Posthoorn en had het hoogste woord. De ober voorzag het gezelschap regelmatig van borrels en biertjes. Twee bruinverbrande dames van rond de veertig hingen aan Marks lippen. De stemming was uitgelaten.

De volgende morgen ging het duidelijk minder met de dokter. Hij stond onaangekondigd beneden in de hal. 'Slecht nieuws, De Mooij. Caroline wil van me scheiden. Ze heeft de kinderen meegenomen en woont zolang bij haar zus. Je weet wel, dikke Ada die zo goed kan tennissen.' Mark was ongeschoren, er zat een grote vlek op zijn overhemd. Wij spraken over de oorzaak van de problemen. 'Verschillende levens, we zijn uit elkaar gegroeid. Ik moet de hele dag opereren en dan wil ik 's avonds ontspannen, relaxen weet je. Even dollen met mijn vriendjes. Caroline vindt dat niets. Zij wil praten en televisie kijken, dat soort dingen.'

Dat Caroline nog meer wilde, bleek tijdens de echtscheidingsprocedure. Het echtpaar ging rollend over straat. Over elk washandje werd ruzie gemaakt. Mark verloor ondertussen zijn glans. De wallen, rode ogen en zurige lucht die hij verspreidde, verraadden een zware levensstijl. Die levensstijl werd in de rechtszaal tegen hem gebruikt. Mark Overbosch mocht eens in de drie weken op zondagmiddag zijn dochtertjes zien. Een intensievere omgangsregeling vond de Raad voor Kinderbescherming niet verantwoord. Mark begreep het niet en vertelde in het café over het onrecht dat hem werd aangedaan.

De Inspecteur voor de Gezondheidszorg diende een jaar later een klacht in die er niet om loog. De orthopedisch chirurg M. Overbosch was in zijn optiek niet meer in staat zijn praktijk uit te oefenen in verband met structureel alcoholmisbruik. Er werden vele incidenten aangehaald. Collega's hadden geconstateerd dat dokter Overbosch onder invloed van alcohol een knieoperatie had uitgevoerd. Tijdens een zaalronde was dokter Overbosch (kennelijk na gebruik van alcohol) gestruikeld en in het bed van een patiënt gevallen. Dokter Overbosch was tijdens een consult niet in staat een recept uit te schrijven, zijn handen trilden onophoudelijk. Verpleegsters hadden dokter Overbosch slapend in het park achter het ziekenhuis aangetroffen, naast hem een lege fles wodka.

De zitting bij het Medisch Tuchtcollege was een ware beproeving voor Mark Overbosch. Langzaam schuifelde hij de rechtszaal in het Paleis van Justitie binnen, als een oude man. Zijn haar was lang en onverzorgd. Op vragen van de voorzitter reageerde Mark onzeker. Ja, hij dronk regelmatig alcohol. Hij gebruikte drank als pepmiddel. Binnenkort zou hij minderen. Hij begreep de ernst van de situatie.

In reactie op de klacht van de Inspecteur wees ik op de staat van dienst van dokter Overbosch. Mark Overbosch was onbetwist een excellent chirurg. De druk was hem echter teveel geworden. Dokter Overbosch zou zijn drankprobleem oplossen. Hij vroeg het college om een laatste kans.

Het Medisch Tuchtcollege stelde dokter Overbosch in de gelegenheid om zijn alcoholverslaving de baas te worden. Gedurende vier maanden verbleef hij in een kliniek en doorliep een afkickprogramma. De dokter werd weer mens. Hij maakte grappen en hervond zijn zelfvertrouwen. Eind 1998 mocht Mark op weekendverlof; hij was vrijwel genezen. Maar terug in Den Haag ging er al de eerste avond iets mis. Overbosch werd door de politie slapend op de tramrails aangetroffen, geveld door de drank.

Mijn pleidooi tijdens de volgende zitting van het Medisch Tuchtcollege was tevergeefs. De verschijning van dokter Mark Overbosch in de rechtszaal sprak boekdelen. Er was weinig over van de flamboyante, succesvolle chirurg. Mark maakte een verwilderde indruk. Vragen van het college liet hij onbeantwoord. De discussie op de zitting ging langs hem heen.

In december 1998 besliste het Medisch Tuchtcollege dat dokter M. Overbosch nooit meer als arts mocht fungeren. Nadat ik hem van de uitspraak op de hoogte had gesteld, gaf Mark mij een hand en liep zonder een woord te zeggen mijn kantoor uit.

Een week later, op eerste kerstdag, werd Mark Overbosch dood aangetroffen in een hotelkamer bij het Hollands Spoor.

Het recht van de straat

Het aannemersbedrijf Berendonk B.V. stond goed bekend in de regio Haaglanden. Vader Ron Berendonk en zijn zoons, de tweeling Joey en Don, waren vaklui en harde werkers. Toch werd Berendonk B.V. regelmatig met juridische problemen geconfronteerd. Klanten die niet betaalden, ruzies over meerwerk, de gebruikelijke zaken. Sinds twaalf jaar behartigde ik de belangen van de vennootschap.

Enige tijd geleden voerde ik namens Berendonk B.V. een gerechtelijke procedure tegen Rinus Kromkamp, een beruchte ondernemer met een crimineel verleden. Kromkamp was een indrukwekkende man. Zijn lange zwarte haar was samengebonden in een paardenstaart. Twee grote gouden oorringen en een vlassnorretje zorgden bij iedereen voor dezelfde reactie: geen ruzie krijgen met deze meneer. Kromkamp was uitbater van een horecagelegenheid en liet een rekening van € 125.000 onbetaald. De door Berendonk B.V. gerealiseerde aanbouw beviel hem niet en daarom weigerde hij de corresponderende factuur te voldoen. De gerechtelijke procedure mondde uit in een comparitie van partijen, waarbij iedereen aanwezig was.

Na de raadslieden van partijen gehoord te hebben, hakte de rechter-commissaris de knoop door: 'Partij Kromkamp heeft niet bewezen dat Berendonk B.V. haar contractuele verplichtingen niet deugdelijk zou zijn nagekomen. Meneer Kromkamp, u zult gewoon moeten betalen.' Kromkamp verliet briesend het Paleis van Justitie. Buiten ging hij tekeer tegen de heren Berendonk, die volstrekt stoïcijns bleven. Toen was ik aan de beurt. 'De Mooij, jij komt in een rolstoel. Goed opletten op straat.'

Drie weken later dacht ik in de stad Kromkamp te zien lopen. Ik keek nog eens goed, ja hij was het. Maar de man was vrijwel onherkenbaar. Zijn paardenstaart was afgeknipt en ook zijn oorringen waren verdwenen. Twee pleisters bedekten zijn oorlellen. Toen Kromkamp mij zag, schoot hij weg.

Ik informeerde bij vader Berendonk of hij zijn geld inmiddels van Kromkamp had ontvangen, en vertelde van de ontmoeting. Ron Berendonk: 'Ja, de centen heeft hij netjes overgemaakt. En dat Kromkamp er anders uitziet, kan kloppen. Ik geloof dat hij Joey en Don is tegengekomen. Ze hebben onze vriend zijn oorbellen laten opeten. En zijn kapsel is enigszins aangepast. Niet betalen is één, onze advocaat bedreigen is twee.'

Vorige week meldde de familie Berendonk zich weer op mijn kantoor. Ron Berendonk vertelde dat er een geschil was ontstaan rond de bouw van een bowlingcentrum. 'De baas is een Russische kerel. Die betaalt dus gewoon mijn rekening van € 450.000 niet. Kijk, dit is de brief van zijn advocaat.' In een lange brief meldde mr. Kuiltjes dat Berendonk B.V. toerekenbaar tekort zou zijn geschoten door verkeerde dakbeplating te gebruiken. Ook verder was er een waslijst aan klachten.

Berendonk verzocht mij een kort geding aanhangig te maken, maar ik moest hem teleurstellen. 'Deze zaak leent zich niet voor behandeling in kort geding. Ik wil wel een bodemprocedure beginnen, maar voor er een vonnis ligt, ben je een jaar verder.'

Ron Berendonk reageerde geïrriteerd. 'Zo lang kan ik niet wachten, dan is mijn tent failliet. Ik wil dit soort zaken netjes afhandelen, zo heb ik mijn jongens ook opgevoed. Maar ik heb geen keus.' Vader Berendonk wierp een blik op de tweeling. 'Boys, we moeten ons haasten. We hebben vanavond een feestje.'

De volgende dag bladerde ik door het Algemeen Dagblad en mijn blik viel op de kop: 'Bruiloft eindigt in slagveld'. Ik las verder. 'Drie onbekende mannen verstoorden afgelopen nacht een Russisch bruiloftsfeest in bowlingcentrum Haagpoort. De bruidegom en vier gasten zijn met forse verwondingen opgenomen in het ziekenhuis. De bruid werd volledig overstuur aangetroffen in de kofferbak van een Volkswagen. Er werden geen aanhoudingen verricht.'

Pinnen met het pasje van een lijk

Mevrouw Kordaat had lichtblauwe ogen en een knoetje. Zij gaf mij een stevige hand en volgde mij naar de bespreekkamer. Daar vertelde zij haar verhaal. 'Drie maanden geleden is mijn moeder overleden. Zij was "oud en der dagen zat", zoals ze zelf altijd zei. Maar toen haar tijd gekomen was, wilde moeder toch niet dood.' Even leek mevrouw Kordaat te worden overmand door emoties, maar zij herpakte zich snel. 'Na een doodstrijd van meer dan een week blies zij uiteindelijk haar laatste adem uit in het Haagpoortziekenhuis.'

Na haar overlijden was de moeder van mijn cliënte overgebracht naar het mortuarium van het ziekenhuis. Een aantal persoonlijke eigendommen van de overledene werd daar opgeborgen in een kastje. Een dag later had de heer Anton Trippel van begrafenisonderneming 'Het Einde' het lichaam van de dode vrouw opgehaald.

'Toen ik moeder ging bezoeken, ontdekte ik dat haar portemonnee met pinpas en een briefje met de pincode was verdwenen. Later kwam ik erachter dat er in anderhalve dag € 25.000 van haar rekening was afgehaald.' Cliënte Kordaat had vervolgens aangifte gedaan bij justitie. Al snel werd Anton Trippel gearresteerd. De politierechter veroordeelde de werknemer van 'Het Einde' tot een celstraf en tot terugbetaling van de gestolen € 25.000.

Maar het gerechtshof in Den Haag sprak Trippel in hoger beroep vrij. Dat ging volledig in tegen het rechtsgevoel van mevrouw Kordaat. 'Ik wil dat die man het geld terugbetaalt dat hij heeft gepikt, mr. De Mooij. Zet alles op alles om dat voor elkaar te krijgen.' Ik wees mijn cliënte op haar zwakke bewijspositie, maar mevrouw Kordaat wilde per se doorzetten. 'Dit kan ik niet laten passeren, ik zou het mezelf nooit vergeven.'

Namens mijn cliënte betrok ik Anton Trippel in een civiele procedure en vorderde betaling van het gestolen bedrag. Mr. Snoot, de advocaat van Trippel, betwistte in een lange conclusie van antwoord dat zijn cliënt de pinpas van de overledene gestolen had. De vorderingen van eiseres moesten worden afgewezen.

De rechtbank in Den Haag bepaalde een comparitie van partijen. Een week voor de zitting sprak ik mijn cliënte. 'We moeten echt met meer bewijzen komen, anders wordt het een taai verhaal.' Mevrouw Kordaat leek niet te twijfelen. 'Geen zorgen, die Trippel laat ik niet meer los.'

Trippel maakte tijdens de zitting een onzekere indruk. Zijn lange benige gezicht glom van het zweet. Om de paar seconden wreef de man zenuwachtig over zijn neus, terwijl hij met kleine schokjes zijn gitzwarte lok opzij gooide.

De rechter kwam snel ter zake. 'De vraag is of de heer Trippel al dan niet de pinpas van de overledene heeft gestolen en daarmee geld heeft opgenomen. Het dossier bevat wel aanwijzingen, maar geen harde bewijzen.' Nauwelijks was hij uitgesproken, of mijn cliënte stond op. Haar 'finest hour' was aangebroken. 'Edelachtbare, ik heb contact opgenomen met het mortuarium van het Haagpoortziekenhuis. Hier hebt u verklaringen van twee medewerkers van het mortuarium, die bevestigen dat zij Trippel de sleutel van het kastje hebben gegeven waarin de pinpas van moeder lag.' Mr. Snoot sprong op. 'Dat zegt niets! Dat betekent niet dat Trippel geld heeft opgenomen met die pas!' Mevrouw Kordaat ging onverstoorbaar verder. 'En hier heb ik lijsten van de werklocaties en werktijden van Trippel. Deze informatie heb ik vergeleken met de tijdstippen van de geldopnames. Wat blijkt, de pinautomaten waar geld is opgenomen, lagen steeds op de route van Trippel.'

Aandachtig bestudeerde de rechter-commissaris de stukken. Het verhaal van mevrouw Kordaat klopte als een bus. 'En tot slot ben ik erachter gekomen dat Trippel drie dagen na de dood van mijn moeder een auto van € 18.000 heeft gekocht', vervolgde mijn cliënte haar betoog. Opnieuw legde mijn cliënte een bewijsstuk op tafel. Inmiddels richtten alle blikken zich op Anton Trippel. De asgrauwe, vogelachtige man stotterde, terwijl hij zichzelf het laatste duwtje gaf.

‘Ddddat geld heb ik gespaard, eerlijk waar.’ De rechter: ‘En bewaard op een reguliere bankrekening, neem ik aan?’ Trippel keek schichtig om zich heen. ‘Nee, in de zak van mijn badjas, meneer.’

Een borreltje om het af te leren

'Ik heb een brief van u ontvangen, die mij veel verdriet heeft bezorgd.' Kobus van den Berg nam zijn ronde brilletje van de neus en begon de glazen te poetsen. 'U mag natuurlijk schrijven wat u wilt, maar nogmaals: uw woorden hebben mij pijn gedaan.' Wederpartij Van den Berg had zijn makker Dickie Dolfijn meegenomen naar mijn kantoor. Ook de heer Dolfijn deed een duit in het zakje. 'Kobus en ik zijn vrienden sinds ons dertiende levensjaar, maar zo aangedaan heb ik hem nog nooit gezien. Wat een brief!'

Namens woningcorporatie Borgstaete had ik Kobus van den Berg een laatste schriftelijke waarschuwing gestuurd. Als huurder van een flat aan de Melis Stokelaan had hij zich stelselmatig ernstig misdragen. Drank speelde daarbij een voorname rol. Samen met Dickie Dolfijn zette Van den Berg dagelijks de bloemetjes buiten. Rond het borreluur was het nog gezellig, maar naarmate de avond vorderde, werd de overlast voor buurt en omgeving steeds erger. De muziek ging hard aan, er werd gezongen en gedanst. Rond elf uur 's avonds ontstonden de eerste ruzies, niet zelden gevolgd door een vechtpartij. Buren van de huurder hadden het in diverse verklaringen kleurrijk beschreven. 'De heer Van den Berg gooit bloempotten door ramen, valt vrouwelijke buurtbewoners lastig met intieme opmerkingen, om vervolgens in luid gezang uit te barsten.'

Diverse gesprekken tussen medewerkers van Borgstaete en Kobus van den Berg hadden weinig opgeleverd. 'Iedereen heeft een zwak voor Kobus', had beleidsmedewerkster Mieke Voorwaarts van Borgstaete mij verteld. 'Het is een gezellige kerel, maar laat op de avond is het altijd bal. Zijn vriend Dickie Dolfijn heeft ook geen beste invloed op hem. Kobus wil niet luisteren, het kan zo echt niet langer.'

'Meneer van den Berg', vertelde ik mijn wederpartij tijdens onze bespreking, 'u zult uw gedrag aan moeten passen. Anders zal ik namens Borgstaete ontbinding van de huurovereenkomst vorderen.'

Drie weken later volgde een telefoontje van Mieke Voorwaarts. 'Het is weer mis met Van den Berg. Een buurvrouw trof Kobus gisteren in de hal van de flat aan, terwijl hij dronken zijn behoefte deed in een plantenbak.' Op aanmerkingen van de vrouw had Van den Berg verontwaardigd gereageerd. 'Juffrouw, er is hier sprake van natuurlijke bemesting. Wat is uw probleem, als ik mag vragen?'

In de opvolgende gerechtelijke procedure bepaalde de kantonrechter een comparitie van partijen. Kobus van den Berg liet zich bijstaan door advocaat mr. Droog. 'Cliënt Van den Berg is op het slechte pad gebracht door de heer Dick Dolfijn. Laatstgenoemde is inmiddels verloofd en afgereisd naar Egypte. Er bestaat derhalve geen aanleiding meer om de huurovereenkomst te ontbinden.' Kobus van den Berg was het niet geheel eens met dit verweer. 'Edelachtbare! Dat nota bene mijn eigen raadsman tracht de zwartepiet neer te leggen bij mijn goede vriend Dick Dolfijn, stemt mij droevig. Dat die jongen verliefd is geworden op een vrouw met snor, valt hem niet aan te rekenen. Of u dat maar wilt meewegen!'

Dat deed de kantonrechter. De huurovereenkomst werd ontbonden en Kobus van den Berg werd veroordeeld om zijn flat aan de Melis Stokelaan te ontruimen.

Een week voor de ontruiming werd een dagvaarding betekend. Van den Berg probeerde in kort geding de uitvoering van het vonnis te voorkomen. Afgelopen vrijdagmiddag diende de zaak. 'De kantonrechter heeft een juridische misslag gemaakt. Dit vonnis mag niet worden geëxecuteerd. Mijn cliënt heeft zijn leven gebeterd', vond mr. Droog. Mieke Voorwaarts dacht daar anders over. 'Meneer de voorzieningenrechter, gisteravond heeft Kobus van den Berg van acht hoog een magnetron naar beneden gegooid. Hij was boos op de heer Dolfijn, die uit Egypte was teruggekeerd zonder een presentje voor hem mee te nemen.'

Nadat de voorzieningenrechter de eisen van Van den Berg had afgewezen, verliet ik de rechtszaal en liep naar mijn auto. Ik passeerde een café. Er werd tegen de ruit getikt. Kobus van den Berg en Dickie Dolfijn wenkten. Of ik binnen wilde komen. 'Meneer De Mooij', riep mijn wederpartij toen ik de deur van het etablissement opende. 'Alhoewel u niet deugt, bied ik u een glaasje korenwijn aan. U zult wel dorstig zijn van al die leugens.'

Toen ik ging zitten, glommen de oogjes van Van den Berg. 'Voordat ik een liedje ga zingen', zei hij tegen de ober, 'nemen wij eerst nog een borreltje om het af te leren.'

De namen van de alle betrokkenen in deze uitgave zijn gefingeerd.